La Déclaration universelle des droits de l'homme

Christophe Verselle

La Déclaration universelle des droits de l'homme

Chaque article commenté
à la lumière de l'actualité

Librio

Inédit

Avant-propos

Nous connaissons tous, au moins par ouï-dire ou par de vagues souvenirs scolaires, quelques-unes des grandes idées sur lesquelles reposent les droits de l'homme. Toutefois, l'existence de plusieurs textes de référence entretient une certaine confusion et, même lorsque l'on sait qu'il y a effectivement des déclarations distinctes[1], nous ignorons la plupart du temps ce qu'elles affirment dans le détail. On se contente alors de quelques principes généraux donnant l'illusion d'une dispense de lecture attentive. Par ailleurs, leur importance, pourtant capitale pour la paix et la justice mondiale, se révèle soluble dans l'habitude d'en entendre parler.

Entre les élèves de collège ou de lycée et la plupart des adultes, il n'y a finalement guère de différences : nous avons appris que les droits humains fondamentaux sont proclamés comme inaliénables, mais avec la patine du temps, ils sont devenus une sorte de source patrimoniale comparable aux photos de famille qui dorment dans les cartons du grenier. Leur présence fait partie du paysage mémoriel collectif, si bien qu'on en considère les principes comme acquis – au moins dans les pays développés – lors même qu'ils demeurent éminemment fragiles dans leur application internationale.

Cet ouvrage se propose d'explorer la Déclaration universelle des droits de l'homme de 1948, afin d'en rappeler la valeur et de mesurer les décalages que la réalité et la violence du monde ne cessent de lui opposer.

---

1. 1789, 1793, 1795, 1948.

Il est organisé de la façon suivante : chaque article est reproduit dans son intégralité et fait l'objet d'un commentaire destiné à bien en saisir la signification et les enjeux. Parfois, si un problème particulier apparaît de manière explicite, un dilemme est ensuite proposé au lecteur afin d'envisager une situation qui mette l'article commenté en déséquilibre. Cela permet de confronter le texte avec des cas limites ou des paradoxes offrant à chacun la possibilité de nourrir sa réflexion. Enfin, un dernier moment présente quelques exemples de violation plus ou moins directe des droits de l'homme dans le monde et ceci, y compris dans des États que l'on pourrait croire au-dessus de tout soupçon.

Préambule

Considérant que la reconnaissance de la dignité inhérente à tous les membres de la famille humaine et de leurs droits égaux et inaliénables constitue le fondement de la liberté, de la justice et de la paix dans le monde,

Considérant que la méconnaissance et le mépris des droits de l'homme ont conduit à des actes de barbarie qui révoltent la conscience de l'humanité et que l'avènement d'un monde où les êtres humains seront libres de parler et de croire, libérés de la terreur et de la misère, a été proclamé comme la plus haute aspiration de l'homme,

Considérant qu'il est essentiel que les droits de l'homme soient protégés par un régime de droit pour que l'homme ne soit pas contraint, en suprême recours, à la révolte contre la tyrannie et l'oppression,

Considérant qu'il est essentiel d'encourager le développement de relations amicales entre nations,

Considérant que dans la Charte les peuples des Nations unies ont proclamé à nouveau leur foi dans les droits fondamentaux de l'homme, dans la dignité et la valeur de la personne humaine, dans l'égalité des droits des hommes et des femmes, et qu'ils se sont déclarés résolus à favoriser le progrès social et à instaurer de meilleures conditions de vie dans une liberté plus grande,

Considérant que les États membres se sont engagés à assurer, en coopération avec l'Organisation des Nations unies, le respect universel et effectif des droits de l'homme et des libertés fondamentales,

Considérant qu'une conception commune de ces droits et libertés est de la plus haute importance pour remplir pleinement cet engagement,

L'Assemblée générale proclame la présente Déclaration universelle des droits de l'homme comme l'idéal commun à atteindre par tous les peuples et toutes les nations afin que tous les individus et tous les organes de la société, ayant cette Déclaration constamment à l'esprit, s'efforcent, par l'enseignement et l'éducation, de développer le respect de ces droits et libertés et d'en assurer, par des mesures progressives d'ordre national et international, la reconnaissance et l'application universelles et effectives, tant parmi les populations des États membres eux-mêmes que parmi celles des territoires placés sous leur juridiction.

Le préambule de la Déclaration repose sur une série de postulats permettant de construire une représentation de l'humanité fondée principalement sur trois notions clés :

– LA DIGNITÉ (*L'homme a une valeur intrinsèque et non par rapport à sa position sociale ou ses actes, c'est une fin en lui-même et l'on ne peut donc le traiter comme une chose.*)

– L'ÉGALITÉ (*Nul ne vaut plus ou moins qu'un autre, parce qu'il est riche ou pauvre, homme ou femme, jeune ou vieux. Tous les hommes sont, par principe, égaux.*)

– LA LIBERTÉ (*Aucun homme ne doit être réduit en esclavage, sa condition naturelle est celle d'un être qui peut et qui doit agir par lui-même, en étant son propre maître et en participant à la vie politique de la cité en tant que citoyen.*)

Le texte évoque également l'idée d'une « famille humaine » impliquant à la fois une continuité entre chaque membre de cette famille et, par là même, une unité. Ces deux concepts supposent qu'il n'y a pas de rupture entre les différents membres de notre espèce, à moins d'y opérer idéologiquement des coupures artificielles. Ainsi, quelles que soient les différences culturelles, linguistiques, ethniques, sexuelles, géographiques, tous les hommes sont liés par leur appartenance consubstantielle au **genre humain** qui ne peut être morcelé ou segmenté. Dès lors, individus, peuples ou nations doivent chercher ce qui les rassemble au lieu de ce qui les divise et tisser des liens d'amitié pour fonder une communauté humaine harmonieuse et pacifique, capable de transcender ses clivages. Il faut garder à l'esprit le traumatisme que constitue la Seconde Guerre mondiale pour mesurer combien cette conviction anime l'ensemble des articles de la Déclaration de 1948 et ce préambule en particulier. Le monde a en effet découvert avec effroi et stupeur les terribles conséquences de la barbarie nazie dont l'idéologie criminelle a conduit à l'extermination de six millions de juifs, coupables à ses yeux du seul crime d'être nés. Par ailleurs, les moyens techniques dont l'homme dispose en ce milieu du XXe siècle lui permettent d'accéder à une capacité de destruction totalement inédite et les bombardements d'Hiroshima et de Nagasaki en août 1945 en ont fait une démonstration terrifiante. Prenant alors conscience que l'humanité court à sa propre perte si elle ne tire pas de leçon de ces deux événements majeurs et sans équivalent historique, la Déclaration l'exhorte à souscrire au même projet éthique. Ainsi, la reconnaissance mutuelle de l'unité du genre humain, de la liberté, de la dignité et de l'égalité conditionne la possibilité d'établir la paix et la justice. À ce titre, un double présupposé apparaît dans le préambule : premièrement, une paix mondiale et un état de justice international sont possibles et ne relèvent pas d'une utopie naïve. Bien sûr, cela reste un *idéal* comme le suggère la fin du texte, mais étant commun à l'ensemble de l'humanité, il n'est pas seulement pensable théoriquement mais devient réalisable pratiquement et peut s'inscrire dans l'Histoire. Deuxièmement, la condition de la réalisation de cet idéal réside dans le respect des droits imprescriptibles que la Déclaration établit formellement. Elle constitue dès lors un véritable projet politique et ne saurait se limiter à un pur et simple recueil d'intentions. La fin du préambule ne laisse aucun doute à ce sujet : la reconnaissance et l'application **universelle** et **effective** des droits de l'homme sont pour les individus comme pour les organes de la société la finalité qui doit orienter leurs actions. Le fait qu'après sa rédaction le texte ait été adopté par une résolution de l'ONU scelle une sorte de pacte moral entre les nations signataires, même si l'obligation juridique lui fait défaut.

Un dernier point doit attirer notre attention, c'est la question de l'éducation. Les valeurs que la Déclaration permet d'établir sont universelles dans leur principe mais, pour qu'elles le deviennent aussi dans les faits et dans les actes, il est nécessaire d'en développer le respect et la connaissance par l'enseignement. À cet égard, la clé de voûte du progrès moral de l'espèce humaine passe donc par l'école qui constitue un droit pour l'individu, tandis que son institutionnalisation systématique est un devoir pour la collectivité.

Article premier

Tous les êtres humains naissent libres et égaux en dignité et en droits. Ils sont doués de raison et de conscience et doivent agir les uns envers les autres dans un esprit de fraternité.

L'article premier repose sur une affirmation déterminante dont le reste de la Déclaration va ensuite découler, comme si l'on dépliait moment par moment la définition d'un concept : tous les êtres humains **naissent** libres et égaux en dignité et en droits. Originellement, la liberté et l'égalité ne sont donc pas des qualités accidentelles ou sociales, elles appartiennent à notre essence, elles nous définissent en tant qu'hommes. Il s'agit là d'un **état** et non d'un passage momentané ou relatif. Nous venons au monde ainsi, même si les particularités de ce monde qui nous accueille peuvent parfois y opposer un cinglant démenti. Dès lors, le fait que nous puissions éventuellement subir des formes de servitude ou vivre dans des systèmes inégalitaires est lié à l'errance politico-historique des sociétés et n'annule en rien le postulat qui inaugure la Déclaration ; on peut même plutôt considérer que cela indique au contraire la nécessité d'un changement lorsque le corps social ne réalise pas les conditions qui permettent aux hommes de s'affirmer et de vivre selon les exigences de ce premier article. En effet, ce n'est pas à la Déclaration de s'adapter au monde, mais au monde de s'adapter aux impératifs posés par la Déclaration.

Pour comprendre le cadre intellectuel dans lequel il faut se représenter les droits de l'homme, il importe de ne pas oublier qu'ils se situent dans une dimension juridique anhistorique et détachée des contingences politiques, même si leur application concrète s'inscrit nécessairement dans l'Histoire. Pour le dire autrement, ils relèvent d'un absolu théorique qu'il faut envisager comme immuable et valable depuis toujours, avant qu'on ne les grave dans le marbre

11

de la loi, et quand bien même une sorte de dictature mondiale en renierait subitement la valeur. Cela permet par ailleurs de ne pas tomber dans le piège d'une conception qui estimerait que l'idéal qui s'y dessine reste purement formel et inaccessible, quand tout porte à croire qu'il n'est finalement réalisé nulle part. Si l'on ne s'affranchissait pas de cette représentation, la Déclaration serait perçue comme l'expression d'une chimère philosophique totalement désengagée du réel et impossible à accomplir. Pour conjurer cette tentation, une distinction s'impose. Traditionnellement, on différencie le droit positif du droit naturel. Le premier est celui des codes, des textes, des lois spécifiques à une société et une époque données. Il est relatif, dans le temps et dans l'espace. Ainsi, le droit positif dont se réclament nos tribunaux aujourd'hui n'est plus le même qu'il y a un siècle et il est encore appelé à se modifier au fil du temps. Par ailleurs, il peut être très différent, voire totalement opposé à celui d'un autre pays. Le droit naturel, au contraire, présente la particularité de se déployer dans une dimension indépendante des manifestations culturelles et historiques du droit qui sont transcendées par la recherche de ce qui vaut pour l'homme sur un plan universel, eu égard à sa dignité.

Les droits naturels dépassent donc le simple cadre de la légalité et des faits, au nom d'exigences éthiques irréductibles aux coutumes ou aux textes en vigueur. Ces deux formes du droit peuvent même souvent entrer en contradiction si ce que la loi prescrit n'est pas adéquat avec ce qui est juste. Par exemple, le régime sud-africain de l'apartheid aboli en 1991 était légal (droit positif) tout en violant le principe d'égalité entre les hommes (droit naturel). Inscrit dans la Constitution, ce système discriminatoire coupait littéralement la société en deux, réservant aux Blancs des privilèges et des prérogatives inaccessibles aux Noirs et aux autres communautés. On voit d'ailleurs pourquoi ce pays avait refusé de signer la Déclaration en 1948, puisque sa Constitution entrait directement en opposition avec les valeurs qu'elle affirme. Au nom de la dignité humaine, il est donc nécessaire de poser une égalité qui dépasse toutes les différences de sexe, de couleur de peau, d'origine ethnique ou sociale.

La Déclaration ne se contente pas de formuler cet impératif, elle lui adjoint une conséquence morale : les hommes ont le devoir d'agir les uns envers les autres dans un esprit de **fraternité**. On comprend alors que les droits que nous avons en tant qu'hommes sont liés à des devoirs et à des responsabilités dont chacun est individuellement comptable. Nous sommes certes les objets d'un certain nombre de droits, mais nous sommes aussi les sujets qui permettent leur respect et leur application. En d'autres termes, pour que la Déclaration puisse se déployer pratiquement dans le monde, chaque individu a la responsabilité de respecter, pour lui-même et pour ceux avec lesquels il vit, les exigences qu'elle implique. C'est là que la référence à la présence en nous de la conscience et de la raison fait sens : nous devons y trouver à la fois l'appui et le fondement de nos actions. Le bien et le mal ne sont pas que des données abstraites ou relatives aux différentes cultures, nous pouvons aussi leur trouver une expression universelle en consultant notre raison, une raison qui nous sert non seulement à établir des jugements théoriques (par exemple, le fait que le tout soit nécessairement plus grand que la partie), mais aussi des jugements pratiques, c'est-à-dire, éthiques (par exemple, le fait de savoir qu'on ne peut réduire l'autre à de la simple matière parce qu'il est un être humain comme nous). Bien sûr, nous pouvons renoncer aux exigences morales que notre conscience prescrit et commettre une action inique en la justifiant par des motifs égoïstes. Toutefois, à moins de faire preuve de mauvaise foi, nous savons toujours – ou, du moins, nous avons la possibilité de savoir – si nos actes sont justes ou non. Ainsi, par exemple, le proxénète qui se livre à un trafic d'êtres humains pourra se trouver des excuses, mais il sait bien qu'il ne voudrait pas se retrouver dans la situation des personnes qu'il exploite, signe manifeste qu'il est possible, pour le pire des criminels, de saisir la dimension intolérable de ses actes.

Dilemme

L'article stipule que nous sommes doués de raison et de conscience et l'on retrouve ici une définition classique puisque Aristote décrivait l'homme comme un « animal raisonnable » (*zoon logikon*). Mais alors, peut-on en déduire que les fous, dont on dit qu'ils ont perdu la raison, et les enfants, dont on estime qu'ils ne la possèdent pas encore, sont exclus du champ des droits humains ? Plusieurs réponses permettent de résoudre cette apparente difficulté. D'abord, dans les deux cas, la possession de la raison est virtuelle si elle n'est pas actuelle. Pour les personnes atteintes de démence, l'usage de la raison n'est annulé que par une pathologie qui l'entrave, sans négation de leur essence. Et, en ce qui concerne les enfants, il ne s'agit que d'une construction qui nécessite du temps pour atteindre sa plénitude. En conséquence, ils restent bien des sujets de droits lors même qu'ils ont besoin d'être accompagnés et protégés tant qu'ils sont incapables de jouir de leur pleine autonomie. Deuxièmement, l'article qui vient d'être ici commenté répond de lui-même à l'inquiétude concernant le sort qui pourrait leur être réservé : en posant l'obligation de respecter nos devoirs envers nos semblables, la Déclaration nous contraint implicitement à prendre soin des plus faibles et de ceux qui sont en situation de dépendance.

Il serait donc contraire aux droits humains de déconsidérer les déments et les enfants au prétexte d'une restriction liée à la présence effective de la raison. L'Histoire montre pourtant que ces deux catégories ont été ou sont toujours victimes de différentes formes d'abandon ou de mauvais traitement. L'institution psychiatrique est ainsi entachée par un lourd passé carcéral et déshumanisant. Quant à la place accordée aux enfants dans nos représentations, il suffit de se rappeler qu'étymologiquement le substantif vient du latin *infans* signifiant « celui qui ne parle pas ».

Des droits menacés

En abattant les monarchies absolues ou les régimes despotiques qui les asservissaient, beaucoup de peuples ont gagné leur liberté civile sans que les inégalités soient pour autant totalement éliminées. Aujourd'hui encore, bien des hommes et des femmes vivent sous le joug de puissances économiques, religieuses ou politiques qui ont instauré un système de domination plus ou moins visible. Il serait évidemment impossible d'en dresser en si peu de lignes un inventaire exhaustif, mais on peut se contenter de donner un exemple qui a le mérite de montrer comment une structure de pouvoir peut investir pernicieusement tous les rouages de la société, puis perdurer malgré les tentatives destinées à la supprimer. L'avantage est également de mettre ainsi en évidence le décalage entre la liberté et l'égalité de naissance postulée par une vision universaliste du droit, par rapport à ce qu'il en advient réellement dans l'ordre social. À cet égard, le cas de l'Inde est paradigmatique avec le système des *castes*. Traditionnellement et depuis au moins trois millénaires, la société indienne est fragmentée en divers groupes sociaux occupant chacun un rang spécifique en fonction de la pureté qui est censée la caractériser. On dénombre quatre castes principales subdivisées et une dernière catégorie à part, la plus misérable : les « intouchables ».

Cette classification sociale est une émanation directe de l'hindouisme et de la théorie du *karma* : notre incarnation présente est le résultat de nos vies antérieures. Dès lors, celui qui est frappé d'indigence paie « métaphysiquement » le prix de ses actes passés. Ce système est redoutable puisqu'en s'appuyant sur une croyance religieuse extrêmement ancienne et profondément enracinée dans les représentations il induit une résignation de ceux-là mêmes qui en sont pourtant les victimes. Depuis l'indépendance et la Constitution de 1950, il est officiellement aboli. Pourtant, on constate que cela n'a pas suffi à le faire disparaître. Les cent soixante-dix millions d'intouchables continuent donc à composer une frange de la société reléguée au second plan, discriminée pour le mariage, le travail, le logement et maints détails de la vie quotidienne. Malgré une certaine amélioration de leur sort, les Indiens de basse condition sont ainsi encore très largement enchaînés à ce système archaïque et rigide. Par ailleurs, comme la religion hindouiste a constitué un puissant ciment national, la destruction effective des castes, en fait et plus seulement en droit, est redoutée par beaucoup d'Indiens qui y voient une menace pour la cohésion du pays.

Article 2

1. Chacun peut se prévaloir de tous les droits et de toutes les libertés proclamés dans la présente Déclaration, sans distinction aucune, notamment de race, de couleur, de sexe, de langue, de religion, d'opinion politique ou de toute autre opinion, d'origine nationale ou sociale, de fortune, de naissance ou de toute autre situation.

2. De plus, il ne sera fait aucune distinction fondée sur le statut politique, juridique ou international du pays ou du territoire dont une personne est ressortissante, que ce pays ou territoire soit indépendant, sous tutelle, non autonome ou soumis à une limitation quelconque de souveraineté.

Étant universels, les droits de l'homme transcendent toutes les distinctions et toutes les particularités qui sont comme annulées dans l'espace juridique de la Déclaration. L'esprit de cette dernière implique une définition et une idée de l'homme qui ne reposent pas sur les critères sur lesquels les traditions culturelles ont souvent eu tendance à la fonder. Sur ce point, l'anthropologie a montré qu'il existe une propension commune à tous les groupes humains : le repli identitaire sur ce qui est posé arbitrairement comme le même que soi, à l'exclusion de l'autre, sous différentes formes. Dans *Race et histoire*, l'ethnologue Claude Lévi-Strauss met en évidence la parenté du raisonnement discriminatoire qui existe entre une civilisation aussi lumineuse que celle des Grecs de l'Antiquité et les représentations de certaines sociétés qu'on pourrait pourtant juger plus archaïques. Cédant à la tentation de définir l'humain en fonction de critères sélectifs reliés à **sa propre appartenance ethnique ou culturelle**, l'homme a souvent témoigné de sa faculté à exclure du champ humain ce qui ne lui ressemblait pas, dans la sauvagerie ou la barbarie.

À l'inverse de cet instinct primitif de rejet des différences, la Déclaration nous contraint à penser l'humanité comme un genre par principe indivisible, en rendant injustifiable toute perception inégalitaire.

Le deuxième élément important de cet article est l'affirmation d'une nécessaire absence de distinction qu'on pourrait vouloir fonder sur la situation politique du pays d'un ressortissant étranger. Là encore, la Déclaration se situe très clairement au-delà des particularités nationales en plaçant tous les hommes sur un pied d'égalité, indépendamment de la façon dont leur propre pays les considère. Si, par exemple, une personne a un statut d'infériorité selon les lois de l'État auquel elle appartient, les droits de l'homme ne sauraient y reconnaître une quelconque légitimité annulant l'universalité de l'égalité qu'elle proclame.

Il y a donc une supériorité de principe pour la Déclaration à l'égard des législations nationales.

 Dilemme

La Déclaration précise que chacun peut se prévaloir des droits et des libertés qu'elle proclame, sans distinction. En posant cette prérogative, elle postule en même temps que toutes les sociétés et toutes les cultures doivent pouvoir s'y reconnaître, au nom de l'universalité des valeurs qui sont présentées. Pourtant, puisqu'il s'agit précisément de valeurs et non de faits, on peut s'interroger sur l'extension de leur légitimité. Un regard relativiste pourrait par exemple considérer que l'ensemble du texte ne fait qu'exprimer une éthique rationaliste occidentale particulière à notre propre histoire et à notre culture. Or, il existe d'autres systèmes de valeurs dans le monde, des sociétés à tradition patriarcale, des communautés dont le droit coutumier peut être fondé sur des mécanismes discriminatoires, des peuples dont les usages ou les croyances religieuses impliquent une vision totalement différente de ce que l'on doit à un être humain. A-t-on le droit de vouloir ainsi substituer nos valeurs à celles d'autres traditions ? En procédant de la sorte, on peut aussi se demander si l'on ne court pas le risque de faire mourir des cultures entières que l'on contraindrait à adopter nos propres normes. Si l'on pousse le raisonnement encore plus loin, on peut même songer à une forme de relent colonialiste qui consiste, comme jadis les catholiques se donnaient pour mission d'évangéliser les sauvages, à apporter les lumières de notre civilisation à l'ensemble du monde qui demeure dans l'obscurité. L'argument est cependant très contestable. Les valeurs de la Déclaration ne font qu'exprimer ce que chacun doit pouvoir reconnaître en consultant sa propre raison, en toute autonomie. Si dans une culture donnée, il y a un système ouvertement discriminatoire par exemple (les hommes vis-à-vis des femmes, les riches envers les pauvres, les autochtones et les allogènes, etc.), ce n'est que l'ignorance qui peut conduire ceux qui en sont victimes à désirer sa préservation. Quant à ceux qui en tirent éventuellement bénéfice, et à moins de faire preuve d'aveuglement ou de mauvaise foi, ils doivent pouvoir reconnaître qu'ils ne voudraient pas se retrouver dans la situation de celui ou celle qui appartient à une catégorie de seconde zone.

Des droits menacés

L'égalité juridique formelle n'implique en rien l'égalité réelle des conditions. La Déclaration des droits de l'homme a beau poser une exigence forte en stipulant que chacun doit disposer, sans distinction, des mêmes droits fondamentaux, les discriminations sont encore extrêmement répandues, y compris là où les législations nationales prétendent les conjurer. Selon un rapport de 1998[1], il y a dans le monde plus de 7 500 ethnies et communautés spécifiques, 6 700 langues ou dialectes, ainsi qu'un très grand nombre de religions et de croyances, disséminés sur les cinq continents et dans les cent quatre-vingt-cinq États membres de l'ONU. Si ces chiffres permettent de prendre la mesure de l'extraordinaire variété culturelle de l'humanité et des différences qui constituent autant de richesses et de particularités, ils doivent être complétés par un autre constat, plus alarmant : les minorités sont très souvent en butte à des discriminations dont les formes sont très variées. Certaines sources estiment par exemple que 2,2 milliards de personnes sont victimes de discrimination ou de restrictions, quant à leur liberté de pensée, de conscience, de religion et de conviction, ou à leur identité ethnique[2].

---

1. Joseph Yacoub, *Les minorités dans le monde*, Desclée de Brouwer, 1998.
2. Elizabeth Odio-Benito, ONU, rapporteur spécial de la commission de lutte contre les mesures discriminatoires et la protection des minorités.

Article 3

Tout individu a droit à la vie, à la liberté et à la sûreté de sa personne.

Cet article affirme de nouveau la place éminente de la liberté. Il y adjoint deux éléments importants : le droit à la vie et à la sûreté de la personne. Le premier droit implique une sacralisation de la vie qui ne peut être supprimée. Dans la Rome antique par exemple, le *dominus* (maître) avait pouvoir de vie et de mort sur ses esclaves et le *pater familias* pouvait, dans certaines circonstances, tuer ses propres enfants. Faire de la vie humaine l'objet d'un droit et pas seulement un effet de la nature implique au contraire que toute vie humaine soit **par essence** respectable et qu'elle fasse l'objet d'une protection. On ne peut donc disposer de la vie d'autrui, ni pour l'empêcher de venir au monde, ni pour l'éliminer en cas de crime par exemple. Dans une perspective plus politique, lorsque la vie d'une personne est menacée dans un pays totalitaire, les pays libres ont le devoir de lui offrir asile (voir l'article 14 sur cette question).

 Dilemme

Le droit à la vie est une expression très ambiguë que l'on peut aisément détourner. Dans le cadre de la Déclaration, il implique la nécessité de protéger les hommes contre tout ce qui menace leur existence. Mais en l'étendant de façon inconsidérée, on peut en arriver à cautionner la remise en cause de l'interruption volontaire de grossesse. En effet, si le droit à la vie est imprescriptible, alors on peut estimer que c'est au moment même où la vie humaine est conçue que l'article est valable et pas seulement lorsqu'on est en présence d'un être biologiquement plus avancé. Ainsi, stopper médicalement le développement de la vie deviendrait

19

une violation des droits de l'homme et les opposants à l'IVG pourraient s'en saisir pour réclamer son interdiction, au nom des droits humains fondamentaux. Il faut pourtant reconnaître que la possibilité d'avoir recours à l'avortement constitue un progrès social considérable : non seulement parce qu'il a libéré les femmes d'une situation juridique intolérable, mais aussi parce qu'il a permis de décriminaliser une pratique qui restait clandestine et dangereuse.

Des droits menacés

Pour des raisons économiques, sociales ou culturelles, les petites filles sont parfois victimes d'infanticide, d'abandon ou de défaut de soin conduisant à la mort, au mépris du droit à la vie de tout être humain. Le phénomène est particulièrement présent en Asie, continent qui compterait pour cette raison environ cent millions de femmes en moins que les hommes [1]. L'arrivée des techniques d'imagerie médicale comme l'échographie participe aujourd'hui de ce processus sélectif. En Inde, le problème est devenu si préoccupant que, depuis 1994, les autorités ont décidé l'interdiction des examens prénataux qui seraient destinés à déterminer le sexe du fœtus. La loi est toutefois très largement contournée. Diverses explications permettent de comprendre ce qui pousse des familles, en particulier les plus humbles, à se débarrasser des filles et à préserver les garçons. Il y a le poids des traditions qui fait qu'on se représente les garçons comme des sources de profit et d'honneurs tandis que les filles seraient une charge. D'un point de vue économique, la pratique de la dot qui consiste à obliger les parents de la mariée à réunir des biens et de l'argent pour leur fille et ses noces explique aussi que les garçons aient la préférence. Par ailleurs, le fait d'avoir un fils représente l'assurance d'une conservation du patrimoine dans le giron familial. Enfin, des décisions politiques destinées à réguler la démographie peuvent produire également des effets pervers. C'est par exemple ce qui se passe en Chine avec les dérives de la politique de l'enfant unique qui conduit les parents à vouloir à tout prix un

---

1. Voir Bénédicte Manier, *Quand les femmes auront disparu. L'élimination des filles en Inde et en Asie*, La Découverte, 2006.

garçon. Cette mesure a été prise dans les années 1970 afin de limiter le nombre de naissances et tenter de contrôler une croissance exponentielle de la population. Les autorités pensaient qu'une démographie anarchique constituait une menace pour l'équilibre du pays qui compte aujourd'hui plus de 1,3 milliard d'habitants. Ainsi, les couples qui habitent en ville n'ont droit qu'à un enfant et ceux qui vivent dans les campagnes à deux, si le premier est une fille. En cas de non-respect de cette obligation, de lourdes amendes sont prévues par la loi.

Article 4

Nul ne sera tenu en esclavage ni en servitude ; l'esclavage et la traite des esclaves sont interdits sous toutes leurs formes.

L'esclavage consiste à asservir un être humain en lui ôtant sa liberté, ses droits et l'ensemble des qualités qui font de lui une personne à part entière. Ainsi **dépouillé de son humanité**, l'esclave devient une marchandise, un bien qu'on peut acheter ou vendre, s'échanger ou mettre en gage comme un vulgaire objet. Les formes de l'esclavage ont été très différentes au cours de l'Histoire ainsi que les mécanismes économiques qui ont présidé à son développement. L'esclavage antique doit par exemple être distingué du servage médiéval qui accorde une capacité juridique aux populations serviles, tandis que le commerce triangulaire [1], encore plus tardif, est aussi tout à fait spécifique en raison de l'idéologie raciale qu'il véhiculait pour s'autojustifier. Mais, dans tous les cas, il y a des traits communs : l'infériorité absolue de l'esclave ainsi que son assimilation à un bien économique, au même titre que la propriété d'un outil ou d'une terre.

Cette façon de traiter un être humain est probablement l'attitude qui entre le plus violemment en contradiction avec l'esprit de la Déclaration des droits de l'homme et, en particulier, avec l'article premier qui pose l'égalité et la liberté comme les fondements à partir desquels l'idée même de droits humains inaliénables prend sa source. Dans une approche remarquablement éclairante, Rousseau avait fort bien relevé cette incompatibilité entre l'esclavage et l'essence même de l'homme. Au début du *Contrat social* [2], le philosophe commence par ôter tout crédit à

---

1. Le commerce triangulaire désigne le circuit commercial esclavagiste institutionnalisant la traite négrière au XVIIᵉ siècle, entre l'Europe, les Amériques et l'Afrique.
2. Livre I, chapitre I, 4.

l'idée qu'il puisse exister quelque forme d'esclavage que ce soit fondée sur une inégalité naturelle. Nul ne peut donc prétendre posséder un autre homme comme une marchandise en se réclamant d'une autorité dont la légitimité serait scellée par la nature (par exemple, que l'homme blanc soit naturellement destiné à commander l'homme noir, incapable de se gouverner lui-même et par conséquent inscrit dans le besoin d'un maître). Mais Rousseau va plus loin encore : l'esclavage relève d'une absurdité et ne peut s'appuyer sur aucun autre fondement que la force brute ou l'intimidation. Nul ne peut légitimer rationnellement cette pratique et celui qui donnerait l'impression de s'y soumettre volontairement serait uniquement mû par la peur ou, plus pernicieusement encore, l'habitude d'être enchaîné. Ainsi, « *de quelque sens qu'on envisage les choses, le droit d'esclave est nul, non seulement parce qu'il est illégitime, mais parce qu'il est absurde et ne signifie rien. Ces mots,* esclavage *et* droit, *sont contradictoires ; ils s'excluent mutuellement. Soit d'un homme à un homme, soit d'un homme à un peuple, ce discours sera toujours également insensé*[1]. » Ce caractère insensé de l'esclavage, même soi-disant consenti, apparaît clairement dans cette formule dont on mesure aisément l'ironie : « *Je fais avec toi une convention toute à ta charge et toute à mon profit, que j'observerai tant qu'il me plaira, et que tu observeras tant qu'il me plaira*[2]. »

En tant qu'être naturellement libre et sujet de droits inaliénables, nul être humain ne doit donc subir cette humiliation suprême qui consiste à réduire son identité à de la simple matière que l'on peut exploiter, comme on le ferait avec du bétail ou des machines.

Dilemme

Si la préservation de la mémoire de l'esclavage est si importante, c'est à la fois pour les morts et pour les vivants. Lorsqu'on délaisse les morts, on les fait mourir deux fois : après leur disparition physique, c'est leur souvenir même qui est oblitéré. Quant aux vivants, le fait de ne pas oublier

1. *Ibidem.*
2. *Ibidem.*

que des hommes ont pu être ainsi réduits au rang de bêtes serviles doit leur rappeler qu'il relève de leur responsabilité que ce genre de pratique ne puisse plus jamais ressurgir. Depuis quelques années, un débat a lieu dans notre pays sur l'importance de la mémoire de l'esclavage que d'aucuns trouvent reléguée à une place négligeable, aussi bien dans l'Éducation nationale que dans les commémorations officielles. Plusieurs mesures permettent de remédier à cette occultation intolérable : la loi Taubira [1], le programme scolaire d'histoire, l'institutionnalisation d'une journée nationale du souvenir le 10 mai. Le problème est que l'esclavage lié aux traites négrières est devenu aujourd'hui un enjeu idéologico-politique et plus seulement mémoriel. On assiste ainsi à des querelles sur les termes qu'il convient d'adopter pour définir cette pratique. S'agit-il spécifiquement d'un génocide ou uniquement d'un crime contre l'humanité ? Nul ne songerait à contester cette dernière formulation. En revanche, la question du génocide est plus problématique puisqu'elle suppose une extermination planifiée, volontaire et consciente de tout un groupe humain. Dans le cas de l'esclavage qui a pourtant effectivement saigné l'Afrique, il n'y a pas eu de destruction programmée mais une exploitation outrancière et criminelle. Par ailleurs, une concurrence mémorielle douteuse est parfois instrumentalisée par des groupes radicaux qui estiment que la Shoah bénéficie d'une sacralisation et d'une place trop privilégiée par rapport au souvenir nécessaire des victimes du commerce triangulaire. Il est pourtant extrêmement pervers d'entrer dans une telle logique de confrontation des souffrances qui consiste à chercher à en négliger une pour laisser plus de place à l'autre.

---

1. Article premier – La République française reconnaît que la traite négrière transatlantique ainsi que la traite dans l'océan Indien d'une part, et l'esclavage d'autre part, perpétrés à partir du XVe siècle, aux Amériques et aux Caraïbes, dans l'océan Indien et en Europe contre les populations africaines, amérindiennes, malgaches et indiennes constituent un crime contre l'humanité.
Article 2 – Les programmes scolaires et les programmes de recherche en histoire et en sciences humaines accorderont à la traite négrière et à l'esclavage la place conséquente qu'ils méritent. [...]

Des droits menacés

L'esclavage semble aujourd'hui relever de pratiques définitivement renvoyées au passé. Aboli en France par la
Convention en 1794, puis rétabli par Napoléon Ier en 1802,
il est finalement interdit en 1848 sous l'impulsion de Victor
Schœlcher, alors secrétaire d'État à la marine et aux colo-
nies. En Angleterre, l'abolition officielle de la traite négrière
date de 1807, mais il faudra attendre 1833 pour que l'Em-
pire britannique supprime l'esclavage lui-même, lequel va
perdurer encore dans les faits puisque les anciens esclaves
n'accèdent pas immédiatement à une totale émancipation.
Quant aux États-Unis, c'est en 1865 qu'ils promulguent son
interdiction dans le 13e amendement de la Constitution.
Prévue quatre ans plus tôt dans le programme de Lincoln,
c'est cette réforme qui entraînera la guerre de Sécession
entre 1861 et 1865. Les États du Sud s'opposaient en effet
à la politique abolitionniste du Nord pour des raisons économiques, eu égard aux besoins en main-d'œuvre agricole
gratuite dont les territoires nordistes, plus industrialisés et
modernes, n'avaient pas la nécessité.

Avec toute la distance historique qui nous sépare de ces
temps passés, on peut penser que l'esclavage a désormais
totalement disparu, d'autant qu'aucun pays n'y est plus
officiellement favorable. Pourtant, non seulement il s'agit
d'une pratique qui perdure aujourd'hui, mais en outre, les
formes de servitudes sont parfois devenues plus subtiles
et, dès lors, moins immédiatement visibles et faciles à com-
battre. Un rapport de 2005 [1] estime ainsi qu'il y a au moins
deux cents millions de personnes dans le monde qui sont
réduites en esclavage, dont trente millions d'enfants. Cet
esclavage moderne, qui ne dit pas son nom, passe par l'embrigadement forcé d'enfants soldats, le travail de clandes-
tins contrôlé par des organisations criminelles, la prosti-
tution ou toute autre forme d'exploitation servile. Pour
toutes les mafias du monde, le commerce d'êtres humains
est toujours extrêmement lucratif, on estime ainsi qu'il
constitue la troisième source de revenus illégaux, après la
drogue et le trafic d'armes. Les pays industrialisés ne sont
évidemment pas à l'abri puisque c'est aussi sur leur sol que
ces esclaves modernes sont exploités.

---

1. Giancarlo Giojelli, *Les esclaves invisibles*, Éd. Piemme, 2005.

Article 5

Nul ne sera soumis à la torture, ni à des peines ou traitements cruels, inhumains ou dégradants.

Employée pour faire souffrir, pour punir, pour humilier ou pour dominer, la torture est aussi vieille que l'histoire humaine et force est de constater que son usage n'a jamais été véritablement abandonné. C'est une prise de conscience très progressive qui a permis de mettre en évidence son caractère absolument inacceptable. Montaigne, Érasme, puis la philosophie des Lumières se sont ainsi élevés contre ce qu'ils jugeaient avilissant et indigne (pour le bourreau comme pour sa victime). En 1764, dans un opuscule [1] qui jouira d'une grande notoriété, le philosophe et juriste italien Cesare Beccaria la condamne fermement en insistant sur son caractère cruel, inefficace et absurde. Au cours du XIXe siècle, ce sont les États eux-mêmes, et non plus seulement les philosophes et les personnes de lettres, qui vont commencer à se mettre d'accord sur sa condamnation et son interdiction, dans un esprit de consensus dépassant les frontières. Aujourd'hui, le droit international dispose même d'une définition datant de 1984, elle sert de référence commune :

> « Le terme "torture" désigne tout acte par lequel une douleur ou des souffrances aiguës, physiques ou mentales, sont intentionnellement infligées à une personne aux fins notamment d'obtenir d'elle ou d'une tierce personne des renseignements ou des aveux, de la punir d'un acte qu'elle ou une tierce personne a commis ou est soupçonnée d'avoir commis, de l'intimider ou de faire pression sur elle ou d'intimider ou de faire pression sur une tierce personne ou pour tout autre motif fondé sur une forme de discrimination quelle qu'elle soit, lorsqu'une telle douleur ou de telles souffrances

---

1. *Des délits et des peines*, Flammarion, 2006.

sont infligées par un agent de la fonction publique ou toute autre personne agissant à titre officiel ou à son instigation ou avec son consentement exprès ou tacite. Ce terme ne s'étend pas à la douleur ou aux souffrances résultant uniquement de sanctions légitimes, inhérentes à ces sanctions ou occasionnées par elles[1]. »

Juridiquement, l'interdiction de la torture est considérée comme *ius cogens* (« droit contraignant »), c'est-à-dire, comme se trouvant au sommet de la hiérarchie normative, **non modifiable** et sans qu'il soit possible d'y introduire des dérogations ou des exceptions.

Dilemme

Si la torture semble appartenir au mal radical, on entend parfois des arguments qui laissent supposer qu'elle serait acceptable dans certains cas bien particuliers. Par exemple, imaginons qu'un terroriste ait été capturé après avoir posé une charge explosive dans un lieu public sans que l'on sache précisément à quel endroit. Dans cette situation et si l'individu refuse de révéler le lieu qu'il a choisi, la torture n'est-elle pas, en ultime recours et comme un moindre mal, le seul moyen dont les autorités disposent pour le conduire à l'aveu ? Un certain nombre de sondages ont été réalisés dans plusieurs pays à propos de ce genre de cas limite[2]. Il en ressort en général une condamnation majoritaire de la torture mais, de façon récurrente, une partie des gens interrogés estiment qu'elle est parfois justifiable. Ainsi, environ un tiers des sondés pensent qu'on doit y avoir recours pour les cas semblables à celui que l'on vient d'évoquer. Aux États-Unis, le traumatisme des attentats du 11 Septembre a, de ce point de vue, laissé des traces dans l'opinion publique et un débat a récemment agité le Congrès pour établir une loi qui, entre autres pouvoirs d'exception, autorise les aveux forcés obtenus par différentes techniques de coercition à l'endroit des individus suspectés de terrorisme et de menace contre la sécurité nationale. La terminologie

---

1. Article premier de la Convention contre la torture et autres peines ou traitements cruels, inhumains ou dégradants.
2. Voir le journal *Le Monde*, édition du 19 octobre 2006, ainsi que *L'état des droits de l'homme en France*, La Découverte, 2007.

employée est si vague qu'on peut évidemment imaginer toutes sortes de dérives. D'abord refusée par les sénateurs en 2005, la loi a finalement été adoptée par les deux chambres en septembre 2006 (le Sénat et la Chambre des représentants).

Plusieurs arguments permettent pourtant de démontrer que la torture, sous quelque forme que ce soit, est non seulement absolument inacceptable, mais en outre, le plus souvent inefficace sur un plan purement pratique :

– Un pays démocratique qui s'autorise ce genre de logique, y compris à titre exceptionnel, renonce aux principes mêmes qui fondent son existence en adoptant le même comportement que les États despotiques ou violents contre lesquels il s'élève. La protection de la sécurité publique ne peut se payer du prix de la violation des droits fondamentaux, car de proche en proche, cette même sécurité pourrait se retrouver menacée.

– Dès lors qu'elle est tolérée dans certains cas, comment éviter qu'elle ne finisse par se normaliser comme élément de procédure judiciaire ? On peut ajouter également que, compte tenu des situations d'urgence qui sont invoquées pour la justifier, il est probable que de nombreux innocents en subiraient les conséquences faute d'une procédure permettant de démontrer les culpabilités. C'est finalement un terrible engrenage qui risque d'être mis en mouvement : on torturera d'abord les terroristes, puis les simples suspects, puis leurs familles et ceux qui veulent prendre leur défense.

– Enfin, on sait aussi que « techniquement », la torture est peu efficace : les informations qu'elle permet d'obtenir étant peu fiables puisque celui qui est torturé est prêt à dire tout et n'importe quoi pour échapper au supplice. Si l'on reste dans une logique pragmatique, on peut aussi se douter que la légitimation de la torture aura pour effet de radicaliser les simples opposants en décuplant les haines.

Des droits menacés

La torture est encore extrêmement répandue dans le monde et son utilisation varie selon les finalités qui lui sont assignées. Elle peut servir d'instrument de répression destiné à dissuader toutes les formes de dissidence et terroriser les populations, en particulier les minorités. On peut aussi y avoir recours lors d'interrogatoires afin d'obtenir des informations par la contrainte physique. Par ailleurs, elle peut également constituer une forme de châtiment, ce qui est sans doute son expression la plus absurde, si tant est qu'on puisse ici établir une quelconque gradation (voir par exemple la bastonnade, les coups de fouet, la lapidation, l'amputation notoirement pratiqués en Iran, en Arabie saoudite ou au Soudan, pour ne citer ici que quelques États dont les législations sont particulièrement violentes). La forme la plus courante reste toutefois le passage à tabac : un rapport d'Amnesty International [1] démontre ainsi qu'il y a au moins cent cinquante pays dans lesquels des cas plus ou moins nombreux sont avérés. Le même rapport indique qu'une quarantaine de pays utilisent fréquemment la torture par chocs électriques, une cinquantaine, les sévices sexuels en détention ainsi que les menaces de mort, les privations de sommeil ou les simulacres d'exécution.

La torture n'existe pas uniquement dans les États totalitaires, elle est ou a été pratiquée clandestinement dans ou par des pays démocratiques sur certains terrains d'opération militaire. Pour ne citer que quelques cas, on peut évoquer l'affaire emblématique de la prison d'Abou Ghraib [2] en Irak ; ou encore, les accords secrets entre la CIA et des pays d'Europe, dont certains sont dans l'Union, pour « délocaliser » la torture d'individus suspects de terrorisme. Ces tractations ont été mises au jour par une enquête du *Washington Post* fin 2005 et publiquement reconnues par le président Bush en septembre 2006.

---

1. *La torture ou l'humanité en question, 2001*, Éditions francophones d'Amnesty International.
2. Cette prison irakienne administrée par les troupes américaines après la défaite de Saddam Hussein a été le théâtre d'actes de torture et de mauvais traitements perpétrés par des soldats et des officiers américains contre des prisonniers irakiens. Le scandale a éclaté au printemps 2004, après la diffusion dans la presse de photos présentant des détenus humiliés et violentés par leurs geôliers.

Article 6

Chacun a le droit à la reconnaissance en tous lieux de sa personnalité juridique.

La notion de personnalité juridique fonde l'idée selon laquelle chaque homme est un *sujet de droits*, à la différence des simples *objets du droit* caractérisant les choses et les animaux que l'on peut céder ou vendre par exemple. Elle implique donc non seulement le fait d'être soumis au droit objectif des codes et des textes, mais aussi et surtout, la possibilité protégée et reconnue de pouvoir jouir des droits qui y sont inscrits en les exerçant effectivement. Cette personnalité juridique n'est en rien limitée ou annulée par les particularismes nationaux qui pourraient la remettre en cause pour certaines catégories ou certains groupes sociaux et c'est bien **en tous lieux** que la reconnaissance de ce statut doit être affirmée, d'où cette précision de l'article 6.

Des droits menacés

Il est évident que cet article se heurte à de nombreuses violations à travers le monde. Il suffit d'appartenir à une catégorie considérée comme inférieure ou à une minorité à qui on ne reconnaît pas les mêmes droits qu'au reste de la communauté, pour que ce statut pourtant fondamental ne soit pas respecté. Un exemple aux accents kafkaïens est à ce titre révélateur de l'injustice patente que cela implique. Il s'agit d'une affaire qui a provoqué un scandale en Allemagne en 2006. Une jeune Allemande d'origine marocaine, victime de violences conjugales, avait demandé à bénéficier d'une procédure de divorce « accélérée[1] » afin d'échapper

---

1. La législation allemande prévoit normalement un délai d'un an entre la séparation et la proclamation du divorce. Une procédure exception-

à une situation qui la mettait clairement en danger. Son mari, également d'origine marocaine, avait été effectivement reconnu coupable de brutalités par des rapports de police qui avaient motivé son éloignement. Mais la juge du tribunal de Francfort alors en charge du dossier avait refusé d'accéder à la demande de l'épouse en alléguant un motif pour le moins surprenant dans un pays moderne et démocratique. S'appuyant sur une interprétation très personnelle du Coran et de la charia [1], la magistrate avait jugé que, compte tenu de l'origine culturelle des deux époux, les violences pouvaient s'expliquer par des traditions religieuses et un environnement où il n'est pas « inhabituel que l'homme exerce un droit de châtiment corporel sur sa femme ». Elle a finalement été dessaisie du dossier après appel de l'avocate de la plaignante. Indépendamment de cette vision caricaturale, il est clair qu'on est ici en présence d'une invraisemblable négation des principes mêmes du droit qui ne saurait être devancé par celui que posent les coutumes. Par ailleurs, l'article 6 est ici doublement bafoué. D'une part, parce que la jeune femme victime de violences s'est trouvée niée dans sa qualité de personnalité juridique puisqu'on a voulu l'empêcher d'exercer son droit. D'autre part, un tel jugement, heureusement invalidé, aurait pour conséquence d'annuler l'idée selon laquelle c'est bien « en tous lieux » que la personnalité juridique est reconnue, sans distinction d'origine. Le respect de ce principe permet au contraire d'éviter ce genre de dérive qui permettrait de justifier des pratiques inacceptables au nom d'une tolérance à l'égard des traditions d'origine.

---

nelle est cependant prévue, notamment en cas de violence conjugale, qui permet de ne plus tenir compte de ce délai habituel.
1. La charia désigne le droit islamique.

Article 7

Tous sont égaux devant la loi et ont droit sans distinction à une égale protection de la loi. Tous ont droit à une protection égale contre toute discrimination qui violerait la présente Déclaration et contre toute provocation à une telle discrimination.

Il ne suffit pas de vivre dans une communauté où la loi régit les rapports sociaux pour être assuré d'être juridiquement à l'abri de discriminations et d'une justice à géométrie variable. Là encore, un hiatus peut exister entre la présence des lois et leur application, potentiellement différente selon la catégorie sociale à laquelle on appartient. Un principe est donc nécessaire pour éviter ce genre de dérive, c'est celui de l'**égalité devant la loi**. Il implique que nul n'est au-dessus d'elle – ou exclu de son espace – et que, quels que soient le sexe, la couleur de peau ou la classe à laquelle on appartient, chacun soit protégé et débiteur de la même façon. La loi et l'égalité qui la fonde est ce qui sépare l'idée de l'état de nature de celle d'état civil. Dans la première situation, le droit est inexistant et la force constitue le seul élément de régulation. Dans l'état civil au contraire, les échanges, les conflits, les crimes éventuels ne sont traités que par le biais juridique et parce qu'un système de codes commun à tous sert de référence systématique, indépendant en principe des intérêts privés. Dès lors, si les hommes ont des droits et des devoirs, alors ceux-ci doivent avoir un fondement identique sous peine de violer l'idée même de justice. On comprend ainsi que la seule forme de communauté politique permettant d'accomplir pleinement l'état civil auquel nous destine notre essence soit à la fois égalitaire et basée sur des lois visant le bien de tous et l'intérêt général. Dans le cas contraire, on peut considérer que c'est encore le règne de la force qui prédomine et que l'organisation politico-juridique n'a alors pas atteint la forme d'excellence qui doit pourtant être sa finalité. Accomplir pleinement le passage à l'état civil requiert donc aussi le respect absolu des droits de l'homme qui n'acquiert totalement la citoyenneté que dans ce cadre juridique résolument égalitaire.

Dilemme

Si la loi doit être la même pour tous, les riches et les humbles, les puissants et les faibles, alors on peut se demander si l'immunité accordée à certaines fonctions diplomatiques ou politiques ne constitue pas ici une contradiction. Les diplomates bénéficient d'une protection spécifique contre toute menace d'arrestation ou de poursuite dans le pays hôte et, ceci, pour leur permettre d'accomplir leurs fonctions sans subir d'intimidation, d'ingérence ou de tracasseries judiciaires. C'est la Convention de Vienne sur les relations diplomatiques qui régit leur statut depuis 1961. En France, comme dans la plupart des autres nations, le chef de l'État et les parlementaires jouissent également du privilège d'immunité au nom du principe de l'inviolabilité du mandat reçu du suffrage universel et hérité de la Révolution. C'est l'article 26 de la Constitution de 1958 qui en définit l'usage et les limites pour les députés et les sénateurs et l'article 68 pour le Président de la République. D'un point de vue institutionnel, l'idée d'immunité liée à une fonction politique ne constitue pas un privilège personnel, mais une garantie du respect du mandat électoral et une protection nécessaire à la préservation de la séparation des pouvoirs. Le parlementaire est ainsi assuré de sa capacité à exercer un contrôle sur l'exécutif sans craindre d'être menacé de poursuites. Si cette prérogative peut paraître exorbitante, il n'en demeure pas moins que, pour des raisons purement pratiques, un chef d'État ou un député qui aurait un statut juridique identique à tout autre citoyen serait immédiatement vulnérable à toutes formes de plaintes entravant sa mission et paralysant son mandat. La difficulté est évidemment de trouver le juste équilibre entre immunité et impunité et d'éviter l'instrumentalisation de la première au bénéfice de la seconde.

Des droits menacés

On peut être victime de marginalisation en raison de sa religion, de son origine ethnique, de la couleur de sa peau, de son origine sociale, de la langue que l'on parle ou bien encore de son sexe, de son état de santé, d'un handicap, de son âge, de ses préférences sexuelles. Récemment, la France a mis en place une structure destinée à mesurer et à contrôler les différents mécanismes discriminatoires auxquels certains citoyens peuvent être confrontés ; il s'agit de la HALDE[1]. Dans la mesure où les formes de discriminations sont très différentes et parfois extrêmement insidieuses, on ne peut toutes les citer ici. En revanche, il est possible de s'appuyer sur un exemple concret pour prendre la mesure de la distance non résorbée entre l'affirmation d'une égalité formelle devant la loi et son application réelle. La situation des femmes dans le monde est à cet égard révélatrice du chemin qu'il reste à parcourir, y compris dans les pays industrialisés. Dans des domaines aussi divers que le mariage, le droit au divorce, l'accès au travail et au crédit bancaire, les successions, le droit à des dédommagements, l'exercice de mandats électoraux, les femmes sont très souvent inférioriséees juridiquement, avec parfois la complicité explicite de la législation nationale. Même en France, on constate par exemple que les femmes sont plus fréquemment que les hommes au chômage, en emploi précaire ou à temps partiel, et que leur accès aux postes à responsabilité est minoritaire, alors qu'elles représentent presque 46 % de la population active. Les disparités salariales sont également assez frappantes puisque à qualifications égales, les femmes touchent un salaire qui est en moyenne 21 % inférieur à celui de leurs collègues masculins, selon les chiffres de l'INSEE.

---

1. Haute Autorité de lutte contre les discriminations et pour l'égalité.

Article 8

Toute personne a droit à un recours effectif devant les juridictions nationales compétentes contre les actes violant les droits fondamentaux qui lui sont reconnus par la Constitution ou par la loi.

Cet article est à mettre en relation avec le dixième qui affirme le droit pour toute personne à voir sa cause entendue devant un tribunal indépendant et impartial. Ici, il s'agit, plus fondamentalement encore, de poser le droit d'être considéré comme un **citoyen** à part entière et non comme un simple sujet que l'on peut négliger dans sa personnalité juridique. En tant que tel, chaque individu doit être protégé par les lois de son pays et pouvoir s'en remettre à l'institution judiciaire afin d'être défendu lorsqu'il se considère victime d'une atteinte à ses droits. C'est pourquoi nous évoquons ici l'idée de citoyenneté : un citoyen n'est pas qu'une partie additionnable à un tout indistinct, c'est aussi un membre de plein droit d'une communauté politique qui a envers lui un devoir de protection et de défense.

?

Dilemme

Ce qui est stipulé dans l'article 8 a un sens à condition que la législation de l'État auquel le citoyen appartient repose de fait sur des principes de justice et d'équité. *A contrario*, que se passe-t-il lorsque les lois ou la Constitution du pays sont inégalitaires ? La Déclaration pose un droit de recours « effectif » devant les juridictions nationales, mais que faire lorsque ce sont ces mêmes instances qui sont structurées autour d'un système qui établit deux poids, deux mesures selon la position que les citoyens occupent dans la société ou le statut qu'on leur accorde ? Par exemple, que peut faire une femme iranienne qui estime que ses droits fondamentaux sont bafoués alors même que la Constitution de son propre pays lui assigne clairement une place inférieure vis-à-vis des hommes en l'enfermant indirectement dans le seul espace familial [1] ? Il est clair que l'effectivité espérée par les droits de l'homme se heurte ici à des frontières idéologiques locales qui tendent à ruiner son aspiration à l'universalité.

Des droits menacés

Même lorsque les législations nationales reposent sur des principes en apparence égalitaires, les justiciables doivent parfois affronter des tribunaux et des services de police rongés par la corruption, ce qui annule de fait leur possibilité de recours, à moins de participer eux-mêmes à l'entretien du système en monnayant leurs droits. Il existe une organisation non gouvernementale qui mesure le degré de corruption à travers le monde : il s'agit de Transparency International [2], qui compte des antennes dans plusieurs pays. Cet organisme établit tous les ans une sorte de palmarès des pays les plus corrompus en attribuant une évaluation fondée sur des enquêtes réalisées par différents correspondants locaux (universitaires, journalistes, analystes politiques, etc.). Plus la note est haute et moins le pays évalué est considéré comme gangrené par la corruption. Les enquêteurs de Transparency ont montré que l'Afrique est le continent le plus atteint par ces pratiques. Les trois quarts des pays africains ont ainsi obtenu une note inférieure à 3 sur 10 et parmi les institutions les plus corrompues, la police arrive en tête. Or, concrètement, comment fait-on pour déposer une plainte contre quelqu'un qui bénéficie de protections officieuses ou qui paie en échange de son impunité ?

---

1. Pour plus de détails sur ce point, on consultera avec profit le site Internet www.iran-resist.org/article3418.
2. www.transparency.org.

Article 9

Nul ne peut être arbitrairement arrêté, détenu ou exilé.

Il s'agit ici de rappeler que toute sanction judiciaire prise contre un individu doit être motivée par un crime ou un délit avéré et faisant l'objet d'une procédure respectant les lois et **préservant les droits du prévenu.** Nul ne peut donc être privé de sa liberté ou de son droit d'aller et venir par une décision arbitraire, au seul motif d'une vague suspicion, d'une délation, d'un « délit de faciès », d'une activité politique dissidente, ou d'un engagement personnel dans une association qui pourrait éventuellement déplaire au pouvoir en place. Historiquement, il y a un acte juridique fondateur de l'interdiction de l'arrestation arbitraire ayant eu un impact très important et qui est encore aujourd'hui au fondement du droit anglo-saxon. Il s'agit de l'*Habeas Corpus Act* dont le système législatif anglais s'est doté en 1679 et qui stipule notamment que c'est au juge de statuer sur la légalité d'une détention et non au pouvoir politique ou à la force publique. Une demande d'habeas corpus obligeait ainsi le geôlier ou le shérif à présenter *en personne* l'individu concerné à une cour qui pouvait procéder à une libération immédiate si elle jugeait que la procédure n'était pas conforme au droit.

 Dilemme

On comprend aisément que toute arrestation arbitraire constitue une violation manifeste de nos droits fondamentaux. Mais n'y a-t-il pas des exceptions où l'on peut les autoriser, pour protéger la société d'agissements dangereux, comme le cas des affaires de terrorisme par exemple ? Lorsqu'il s'agit de démanteler un réseau pour le neutraliser en raison de l'imminence d'un attentat, les pouvoirs publics n'ont-ils pas le devoir de déroger momentanément à ce principe au nom de la sécurité nationale ? Cette préoccupation peut sembler légitime mais tout le danger réside alors dans la brèche que l'on crée du même coup au sein du droit, en s'autorisant des procédures arbitraires qui peuvent prendre des proportions éminemment périlleuses pour l'ensemble des citoyens. En effet, dès lors que le système judiciaire entre dans une logique d'exceptions, même justifiées au nom de l'intérêt général, ce sont finalement toutes les libertés individuelles qui se trouvent menacées. Dans ces conditions, comment protéger les droits de la personne qui est arrêtée, puisqu'on prend à son encontre une mesure qui entre en contradiction avec le droit commun ? Ensuite, comment contrôler le bien-fondé de ce genre de décision si le principe même consistant à empêcher qu'on en prenne de mauvaises est bafoué ? Enfin, de proche en proche, ne risque-t-on pas un glissement pernicieux vers une société sécuritaire où les moindres formes d'oppositions politiques pourraient finalement offrir au pouvoir en place une justification commode pour entrer dans un système de contrôle totalitaire où n'importe qui se trouverait menacé ?

⚖ Des droits menacés

À la suite des attentats du 11 septembre 2001 et après l'intervention en Afghanistan, l'armée et les services secrets américains ont mis en place un système de détention de prisonniers suspectés d'appartenir à des réseaux terroristes. Profitant de l'existence d'une base militaire située dans la baie de Guantánamo à Cuba et dont elle invoque le statut juridique particulier pour déroger à la Constitution[1], l'Administration Bush y a enfermé des hommes qui sont interrogés depuis plusieurs années sans pouvoir bénéficier de la présence d'un avocat et sans que des chefs d'inculpation précis soient réunis contre eux. Cette base constitue une véritable enclave de non-droits au sein de laquelle règne

---

1. La base de Guantánamo n'étant pas située sur le sol américain, les autorités ont trouvé là un prétexte pour considérer que la Constitution de leur pays ne peut s'y appliquer. Ainsi, le droit commun se trouve opportunément disqualifié pour être remplacé par le droit militaire.

une opacité qui laisse planer de nombreux doutes sur les traitements infligés aux prisonniers qui sont totalement privés de contacts avec l'extérieur. Au mépris de la Convention de Genève, qui stipule que les prisonniers capturés sur le front doivent être jugés par un procès équitable, devant une cour régulièrement constituée et offrant toutes les garanties judiciaires (article 3), les détenus de Guantánamo sont alors **arbitrairement** maintenus en prison sans savoir ce qui leur est effectivement reproché. Washington les considère comme des « combattants illégaux », expression *ad hoc* et totalement étrangère au droit international, permettant de justifier une détention indéfinie dans le temps et des mesures sécuritaires exceptionnelles.

Article 10

Toute personne a droit, en pleine égalité, à ce que sa cause soit entendue équitablement et publiquement par un tribunal indépendant et impartial, qui décidera soit de ses droits et obligations, soit du bien-fondé de toute accusation en matière pénale dirigée contre elle.

En lien avec l'article 8 qui pose les droits de recours de toute personne devant les juridictions de son pays, celui-ci précise un certain nombre de points qui permettent de saisir à quelles conditions les recours doivent être rendus possibles. Ainsi, il faut que l'égalité soit assurée (nul ne saurait être privé de ce droit en fonction de son appartenance sociale, de son sexe ou de sa religion par exemple), que les doléances ou les demandes du justiciable fassent l'objet d'un souci d'équité (ce qui implique que la partie adverse puisse aussi être entendue), qu'en cas de procès, celui-ci soit public (voir les précisions de l'article suivant sur ce point), que les juges soient indépendants (cela suppose une séparation des pouvoirs et une absence de collusion entre le politique et le judiciaire) et enfin, qu'ils soient impartiaux (nul ne doit donc être à la fois juge et partie).

 Dilemme

La question de l'indépendance et de l'impartialité des tribunaux et des juges fait problème ici. Il s'agit incontestablement de deux qualités indispensables au bon déroulement de la justice, mais comment s'assurer qu'un juge ou un jury populaire ne vont pas être influencés par leurs émotions, leurs convictions personnelles, leur propre cadre de références morales ? Si ce sont des hommes qui commettent des délits ou des crimes, ce sont aussi d'autres hommes qui les jugent avec toute la part humaine d'approximation, de contingence, voire d'affects que le droit s'efforce de conjurer mais qu'il est finalement impossible d'oblitérer totalement dans un procès.

Quant au souci de l'indépendance, il n'est pas moins problématique, attendu que les juges peuvent toujours subir un certain nombre de pressions plus ou moins explicites, que celles-ci viennent du corps social, de la hiérarchie ou du politique. On l'a bien vu par exemple en 2006, lorsque les magistrats de Bobigny avaient été accusés de laxisme par le préfet de Seine-Saint-Denis, relayé ensuite par Nicolas Sarkozy, alors ministre de l'Intérieur. Le problème ici, c'est que l'exécutif empiète sur le judiciaire en menaçant la nécessaire séparation des pouvoirs. Or, ce n'est pas au politique de dire au magistrat comment il doit juger les affaires dont il a la charge, à moins d'entrer dans une dangereuse confusion des genres. Par ailleurs, en la matière, la culture arithmétique du résultat ne peut être qu'un très mauvais calcul sur un plan éthique.

Des droits menacés

Le droit et la justice ne sont pas nécessairement synonymes, loin s'en faut[1]. Tout système juridique constitue un corpus de textes perméables à l'interprétation et la contradiction, impliquant la possibilité de constituer des dossiers à charge ou à décharge et qui supposent une mobilisation plus ou moins efficace des magistrats. Dans ces circonstances, l'investissement de l'avocat dans un dossier, son expérience et sa connaissance des arcanes judiciaires sont déterminants pour l'issue d'un jugement. On peut alors se demander si la présence d'un avocat novice traitant de nombreux clients à la suite, commis par le tribunal ou travaillant dans le cadre d'une aide juridictionnelle gratuite a le même poids que celle d'un ténor du barreau secondé par une cohorte d'assistants et consacrant l'essentiel de son temps à un dossier pour lequel il reçoit une rémunération substantielle ou qui lui donne l'assurance d'en tirer bénéfice en terme de notoriété. La possibilité de faire valoir ses droits devant un tribunal est ainsi très largement tributaire des moyens financiers dont dispose le justiciable.

---

1. À ce sujet, voir la distinction entre le droit naturel et le droit positif présentée dans le commentaire de l'article premier.

Les honoraires des avocats sont libres et l'on sait très bien qu'un procès peut être extrêmement coûteux, voire ruineux. Or, comme le déclarait déjà Démosthène : « *La question n'est pas de savoir combien vous coûtera votre défense, mais combien il vous en coûtera de ne pas vous être défendu.* »

Article 11

1. Toute personne accusée d'un acte délictueux est présumée innocente jusqu'à ce que sa culpabilité ait été légalement établie au cours d'un procès public où toutes les garanties nécessaires à sa défense lui auront été assurées.

2. Nul ne sera condamné pour des actions ou omissions qui, au moment où elles ont été commises, ne constituaient pas un acte délictueux d'après le droit national ou international. De même, il ne sera infligé aucune peine plus forte que celle qui était applicable au moment où l'acte délictueux a été commis.

La présomption d'innocence est un des principes fondamentaux du droit puisqu'il s'agit de considérer que nul ne peut être préjugé coupable tant que sa culpabilité n'a pas été dûment établie par un **procès** et pas seulement par une **procédure** policière qui disqualifierait *a priori* toute possibilité de défense efficace. La présomption d'innocence oblige ainsi l'accusateur (personne morale, physique ou ministère public représenté par le procureur, l'avocat général ou le substitut dans le droit français) à faire la démonstration de la culpabilité en effaçant le doute qui doit systématiquement profiter à l'accusé. Par ailleurs, il est fait mention ici du « procès public », ce qui garantit un contrôle social sur ce qui se passe dans le prétoire. Si tous les procès se déroulaient à huis clos, sans regard extérieur, il y aurait un risque de dérive évident. *A contrario*, le fait que la salle d'audience puisse accueillir un public laisse toujours à ce dernier la possibilité de témoigner de l'impartialité dont le tribunal a fait preuve ou non.

La deuxième partie de l'article 11 fait référence à la non-rétroactivité de la loi. Il s'agit d'un principe que la Déclaration des droits de l'homme et du citoyen de 1789 invoquait déjà dans l'article 8 : « *nul ne peut être puni qu'en vertu d'une loi établie et promulguée antérieurement au délit, et légalement appliquée.* »

On peut saisir la légitimité de ce principe en prenant en considération les points suivants :

– Avant qu'un acte puisse faire l'objet d'une répression, il faut bien poser l'interdit. La loi ne peut donc déterminer la limite entre le licite et l'illicite que pour ce qui concerne l'avenir et non le passé, car ses effets ne peuvent logiquement pas commencer avant même son entrée en vigueur. Dès lors, tant qu'elle n'est pas formellement posée, l'ordre de ce qui est permis ou non n'existe pas non plus et les anciens disaient déjà : « *Nullum cimen, nulla poena sine lege* », c'est-à-dire « Pas de crime ni de peine sans une loi ».

– Quand quelqu'un agit, il doit être en mesure de savoir si son action – au moment de la commettre – tombe ou non sous le coup de la loi et s'il y a lieu de la qualifier comme contravention, délit ou crime (par ordre de gravité ici).

– Tant que l'interdit n'est pas prévu, on ne peut savoir si l'auteur d'un acte aurait ou non renoncé à son projet en ayant connaissance d'une prohibition formelle. L'intention de commettre un crime est donc ici impossible à évaluer dans une éventuelle rétroactivité de la loi.

– Enfin, on ne peut punir deux fois une personne pour un même crime. Or, si la loi a un effet rétroactif, elle peut permettre d'infliger une peine plus lourde que celle prévue par d'autres dispositions légales antérieures et d'après lesquelles un criminel a déjà été jugé.

Dilemme

La présomption d'innocence qui doit systématiquement bénéficier à tout accusé implique que l'on prenne position sur la question suivante : est-il préférable de prendre le risque d'emprisonner un innocent plutôt que de laisser un coupable potentiel en liberté ? Le problème peut se poser lorsque de fortes présomptions pèsent sur un individu, mais que l'on n'a pas réuni de preuves suffisantes pour avoir la certitude qu'il a effectivement commis un acte répréhensible. Il peut sembler scandaleux de laisser un crime impuni, aussi bien au nom de l'intérêt des victimes que de celui de l'institution judiciaire et policière qui doit préserver sa crédibilité afin de ne pas encourager les tentations de vengeance personnelle, faute d'une capacité à sanctionner efficacement les violations de la loi. Mais une intime conviction des juges est-elle suffisante ? Dès lors qu'il reste une parcelle de doute, peut-on priver une personne de sa liberté en la jetant en prison, tout en sachant qu'elle est peut-être innocente de ce dont on l'accuse ? Le dilemme éthique consiste ici à opérer un choix entre deux perspectives pourtant moralement scandaleuses : punir un innocent ou laisser libre un coupable. C'est en prenant la mesure de ce qui constitue le moindre mal que l'on peut alors trouver une réponse :

– Celui qui est emprisonné alors qu'il est innocent est l'objet d'une injustice plus grande que celle qui consiste à renoncer à punir le suspect d'un crime en raison du doute qui subsiste à son sujet, même s'il est effectivement coupable.

– En outre, l'errance judiciaire est redoublée ici : on emprisonne un innocent, ce qui est déjà insupportable en soi, mais par voie de conséquence, il prend aussi la place du vrai coupable qui lui, n'est pas inquiété. Cela produit donc une double injustice.

Par ailleurs, si la justice faisait le choix de privilégier le premier risque pour ne pas courir le second, elle laisserait se développer un système qui deviendrait bientôt incontrôlable, puisqu'une simple présomption pourrait progressivement suffire pour justifier un emprisonnement.

Enfin, il paraît plus difficile de réparer une erreur judiciaire qui a conduit à l'incarcération d'un innocent que de demander la révision d'un procès n'ayant pas permis de déterminer les culpabilités effectives. Il est toujours possible, dans ce cas, que de nouveaux éléments puissent relancer une enquête, que des témoignages inédits apparaissent ou que de nouvelles techniques d'investigation scientifique offrent des preuves jusqu'alors introuvables. En revanche, lorsqu'une personne innocente a subi l'humiliation publique de l'emprisonnement, la perte soudaine de tous ses repères sociaux, familiaux, professionnels et qu'elle a eu le sentiment d'être broyée par une machine judiciaire froide et aveugle détruisant sa vie, on voit mal comment le système peut réparer sa propre faute, même s'il y a une réhabilitation publique et une compensation financière. À cet égard, l'affaire d'Outreau constitue un paradigme puisque le traitement expéditif du dossier, fondé sur une instruction menée à charge, a conduit treize innocents derrière les barreaux, avant que leur acquittement ne soit finalement prononcé. Or, les accusés devenus victimes ne sont pas sortis indemnes de cette histoire : des couples ont été disloqués, des affaires commerciales détruites, une personne mise en cause s'est même suicidée.

⚖ Des droits menacés

En lien avec ce dilemme, on peut poser la question de la légitimité de la détention dite « préventive » ou « provisoire ». Peut-on emprisonner quelqu'un préventivement, alors même que l'on n'a pas la certitude de sa culpabilité et que son procès n'a pas encore eu lieu ? Ce genre de mesure est prise à l'encontre d'une personne qui a ainsi le statut de « prévenu » et se retrouve placée en détention sans que l'on ait statué sur sa responsabilité effective. Un tel dispositif peut sembler entrer directement en contradiction avec la présomption d'innocence et on le justifie le plus souvent en alléguant le risque que le suspect commette de nouveaux crimes s'il n'est pas écroué, qu'il cherche à prendre la fuite, fasse disparaître des preuves, exerce des pressions sur des témoins, ou que sa propre sécurité ne soit menacée.

Or, il est clair que cela expose les citoyens à un certain nombre d'abus ou de dérives. D'abord, le temps d'emprisonnement peut être exagérément long compte tenu des lenteurs administratives auxquelles la justice est soumise et de ses limites en personnels (si la durée moyenne d'attente d'une audience est d'environ quatre mois en France, il est tout à fait possible qu'elle s'étende à plus de trente selon le type d'affaire concerné). Ensuite, la situation dans laquelle se trouve le prévenu entrave ses capacités de défense, *a fortiori* s'il est innocent. Enfin, en avril 2007, la population carcérale française était constituée de 18 226 prévenus pour 42 545 condamnés [1]. Si l'on compte qu'en moyenne 3 % des prévenus sont finalement libérés par suite d'un non-lieu, d'une relaxe ou d'un acquittement, on peut estimer qu'il y a actuellement plus de cinq cents personnes emprisonnées injustement.

---

1. Chiffres du ministère de la Justice.

Article 12

Nul ne sera l'objet d'immixtions arbitraires dans sa vie privée, sa famille, son domicile ou sa correspondance, ni d'atteintes à son honneur et à sa réputation. Toute personne a droit à la protection de la loi contre de telles immixtions ou de telles atteintes.

Chacun a droit d'avoir une vie privée qu'il organise comme il l'entend, à condition bien sûr de ne pas déroger aux exigences de l'intérêt général. Cet espace privé permet à tout citoyen d'avoir ses propres convictions, ses opinions, ses réseaux d'amis et aussi de vivre selon des choix personnels par rapport auxquels il n'a aucun compte à rendre.

Le rappel de la nécessité de protéger un espace d'expression et de vie privé est d'autant plus important aujourd'hui que l'on mesure les capacités de contrôles dont les autorités peuvent bénéficier grâce aux techniques modernes de surveillance. Les citoyens sont en effet potentiellement de plus en plus vulnérables à différentes formes insidieuses d'espionnage. La multiplication des caméras dans les lieux publics, les possibilités d'écoute téléphonique, la localisation par satellite, le fichage informatique peuvent menacer nos libertés si l'on ne fait pas preuve de vigilance et qu'on ne met pas en place un système de protection destiné à limiter les dérives potentielles. En France, la Commission nationale de l'informatique et des libertés (CNIL)[1] joue de

---

1. La CNIL est une autorité indépendante instituée par une loi de décembre 1978. Elle a pour mission de veiller à ce que l'informatique soit au service du citoyen et ne porte atteinte ni à son identité, ni aux droits de l'homme, ni à la vie privée, ni aux libertés publiques ou individuelles. La nécessité de sa constitution est apparue dans un contexte très particulier qui fournit par ailleurs un exemple montrant bien pourquoi il faut s'entourer de garde-fous en matière informatique. En 1971, l'INSEE a voulu moderniser son répertoire d'identification en centralisant toutes les données jusqu'alors régionales seulement. Ce projet, finalement abandonné, portait le nom de « SAFARI » pour « Système automatisé pour les fichiers administratifs et le répertoire des individus ». Il avait été également pro-

ce point de vue un rôle régulateur déterminant, en posant les limites légales nécessaires aux usages dangereux qu'il serait possible de faire des informations dont divers organismes disposent pour chaque citoyen. Imaginons par exemple que l'État puisse avoir systématiquement connaissance des livres que nous empruntons en bibliothèque, du type de journal que nous lisons, des croyances religieuses que nous avons, de nos opinions politiques, des déplacements que nous effectuons, etc. On pourrait alors progressivement basculer vers la tyrannie.

 Dilemme

Comme souvent en matière de droit, le problème réside dans la juste mesure et l'appréciation rigoureuse des situations qui peuvent ou doivent faire l'objet d'une exception, sans devenir la norme. S'il paraît indispensable d'offrir à tout citoyen la préservation d'un espace privé inaccessible aux intrusions extérieures, la limite entre ce qu'il faut interdire et ce que l'on peut tolérer en la matière peut parfois être ténue selon la finalité qui est envisagée. Lorsqu'il s'agit de violer la vie privée d'une personne que l'on soupçonne d'appartenir à un groupe terroriste, de préparer un attentat, de faire partie d'un réseau pédophile ou de grand banditisme, ne faut-il pas accepter un assouplissement du principe que l'article présente ici ? Toute la question consiste alors à savoir jusqu'où les autorités peuvent aller. En effet, à force d'accepter de déroger aux principes mêmes de la démocratie, on peut très bien sombrer dans une dérive sécuritaire justifiant des mesures de surveillance qui commencent par porter sur les suspects eux-mêmes, puis sur leurs proches, puis sur leur environnement professionnel et social jusqu'à constituer un maillage de renseignements

posé d'ajouter à ces données celles de la Caisse nationale d'assurance vieillesse et de les mettre en relation avec les fichiers de la carte d'identité dépendant du ministère de l'Intérieur. Dans une période politique et sociale encore très marquée par les événements de Mai 68, une telle centralisation des informations personnelles sur les citoyens fit scandale et laissa craindre une surveillance programmée de l'ensemble de la société. Le journal *Le Monde* titra même « SAFARI, ou la chasse aux Français » en relevant ainsi toute l'ironie involontaire de l'acronyme maladroitement choisi par l'INSEE.

impliquant peut-être des individus totalement étrangers aux faits que l'on veut mettre en évidence. À terme, c'est la déconstruction progressive de l'ordre constitutionnel qui serait engagée, jusqu'à ce qu'il devienne possible d'y substituer une forme de gouvernement totalitaire fondé sur un État policier. Ces remarques nous amènent à poser un paradoxe : une société démocratique doit, pour le rester, laisser un espace possible à la subversion, malgré les risques que cela comporte. Lorsque les techniques de surveillance deviennent trop efficaces et qu'il n'est plus possible d'échapper au contrôle de l'État, c'est d'abord l'existence même d'une opposition qui se trouve menacée, puis la résistance à l'oppression qui devient impossible.

Des droits menacés

La préservation de la vie privée et des libertés que cela implique est toujours menacée par la tentation sécuritaire. Aux États-Unis, le *Patriot Act*, une loi votée par le Congrès le 26 octobre 2001 en réaction aux attentats du 11 Septembre, fournit ici un exemple assez inquiétant. Conçu à l'origine pour n'être valable que quatre ans, il est pourtant toujours en vigueur. Le texte facilite les écoutes téléphoniques, la consultation des emprunts aux bibliothèques, le contrôle accru des entrées et sorties du territoire national et, de manière générale, une vaste surveillance des citoyens. Objet de vives contestations, le *Patriot Act* fait effectivement peser de lourdes menaces sur les libertés individuelles et les droits de la défense, tout en affaiblissant les contre-pouvoirs. Par ailleurs, un certain nombre des amendements de la Constitution américaine risquent d'être bafoués, notamment le premier (liberté de religion, de réunion, de presse et d'expression) et le huitième (pas de détention arbitraire ni de condamnation exceptionnelle).

Enfin, en matière de contrôle de la vie privée, les États-Unis sont dotés d'une puissance technologique comportant de véritables dangers. L'agence de sécurité et de renseignements américaine (NSA) dispose en effet d'un outil redoutablement efficace : le réseau ECHELON. Ce système permet de scanner les communications mondiales automatiquement (aussi bien téléphoniques, que par fax ou courriels) et lorsque des mots clés sont repérés, des agents procèdent à une enquête plus détaillée. Chaque jour, ECHELON peut ainsi intercepter et analyser environ quatre milliards de communications. Secret jusqu'en 1998, ce dispositif a depuis fait l'objet de protestations internationales officielles, notamment par le Parlement européen qui lui reproche une violation de la vie privée de citoyens non américains et une utilisation opaque des données collectées. On sait en effet qu'elles n'ont pas qu'un intérêt militaire mais qu'elles sont aussi exploitées à des fins économiques [1].

---

1. De forts soupçons pèsent par exemple sur l'influence de ce réseau dans la perte de contrats dont Thomson a été victime au profit de Raytheon dans les années 1990. Il est probable que Boeing ait aussi profité des informations d'ECHELON contre Airbus ou encore AT&T face à Alcatel.

Article 13

1. Toute personne a le droit de circuler librement et de choisir sa résidence à l'intérieur d'un État.

2. Toute personne a le droit de quitter tout pays, y compris le sien, et de revenir dans son pays.

Lorsque la Déclaration a été rédigée, le monde sortait à peine de la Seconde Guerre mondiale. Le conflit avait évidemment occasionné un nombre considérable de victimes civiles et militaires (environ cinquante millions), mais il avait également contraint à l'exode des populations entières qui cherchaient à fuir les combats ou les persécutions. La liberté de circulation et de choix de résidence avait ainsi été rudement mise à mal. Or, dans ce contexte, et bien que la paix soit officiellement signée, la circulation des personnes restait parfois entravée par des obstacles juridiques, politiques ou militaires, ainsi que la recomposition progressive des frontières. Il était donc capital de rappeler que le fait de se déplacer dans un État, ou entre des États, constitue un des droits humains fondamentaux que nul ne peut légitimement proscrire. Bien au contraire, les institutions nationales ont le devoir de permettre cette libre circulation, sans la subordonner à une bureaucratie exagérément tatillonne ni à des motifs qui seraient arbitrairement limitatifs. Aujourd'hui, le problème reste entier dans certains pays agités par des crises majeures ou en proie à l'instabilité politique.

En dehors d'une dimension purement pratique, l'article 13 a par ailleurs une grande force symbolique puisqu'il implique l'idée d'une citoyenneté qu'on ne saurait limiter à une seule nation mais qu'il faut idéalement étendre à l'ensemble de la planète, sans distinction de frontières. Dès lors, si l'on considère que chacun doit avoir le droit de circuler librement dans le monde, alors l'homme est, en quelque sorte, partout chez lui et n'est un étranger que dans un sens **purement administratif**.

Des droits menacés

En Corée du Nord, les habitants sont littéralement cloîtrés dans les limites des frontières et ne peuvent donc jouir de la liberté de circulation. Dernier bastion stalinien de la planète, le régime totalitaire de Kim Jong-il est l'une des dictatures les plus implacables du monde. Totalement replié sur lui-même, en proie à une famine récurrente, fermé aux observateurs étrangers (notamment en raison de son programme nucléaire militaire), le pays vit dans une paranoïa généralisée. Dès lors, les ressortissants nord-coréens qui veulent fuir pour échapper aux persécutions ou, tout simplement, chercher à ne pas mourir de faim doivent le faire clandestinement et toute sortie non autorisée du territoire est sévèrement punie par la prison, la torture ou l'internement en camp de travail. Tous les ans, des milliers de personnes tentent ainsi de gagner la Chine frontalière et sont refoulées par les autorités chinoises qui les exposent alors à de terribles représailles.

Article 14

1. Devant la persécution, toute personne a le droit de chercher asile et de bénéficier de l'asile en d'autres pays.

2. Ce droit ne peut être invoqué dans le cas de poursuites réellement fondées sur un crime de droit commun ou sur des agissements contraires aux buts et aux principes des Nations unies.

Le droit d'asile permet à chaque individu de trouver refuge dans un autre État s'il risque sa vie dans le sien, pour avoir par exemple manifesté son opposition au pouvoir, ou en cas de nettoyage ethnique. On ne peut toutefois revendiquer ce droit **que pour des raisons politiques** (« devant la persécution ») et non en alléguant des motifs économiques. Par ailleurs, l'asile ne peut être accordé lorsque celui qui le demande est poursuivi dans son pays pour des crimes de droit commun (c'est-à-dire, tout ce qui relève des délits ou des crimes ordinaires). L'article 14 stipule par ailleurs que les agissements contraires aux principes des Nations unies ne feront pas l'objet d'un droit d'asile. En l'occurrence, un criminel de guerre ou un dictateur déchu ne peuvent donc s'en réclamer pour échapper aux poursuites engagées contre eux dans leur pays.

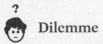 **Dilemme**

Peut-on accorder l'asile, puis le refuser au gré des changements de gouvernements ? Une affaire emblématique permet d'illustrer concrètement cette question. Cesare Battisti, aujourd'hui écrivain, faisait partie d'un groupe terroriste en Italie pendant les années de plomb[1]. La justice de

---

1. On nomme ainsi la période très violente d'attentats, de braquages et autres assassinats politiques qui secouèrent l'Italie entre 1968 et les années 1980.

son pays l'a condamné par contumace en 1988 et 1993, pour quatre homicides dont il n'a jamais reconnu être l'auteur. Alors en fuite en France, il y bénéficiait, comme d'autres de ses compatriotes, de l'asile politique promis par François Mitterrand en échange du refus de la violence et d'une rupture radicale avec tout activisme. Une demande d'extradition avait été rejetée par la cour d'appel en 1991, laissant supposer que l'affaire était définitivement réglée. Mais en 2004, Battisti a dû reprendre la fuite quand le gouvernement français a décidé de faciliter la reprise des poursuites judiciaires à son endroit. Il a été arrêté au Brésil en mars 2007.

Il ne s'agit pas ici de prendre position sur la culpabilité de Battisti, ni sur le caractère légitime ou non de son engagement passé, le problème n'étant pas de refaire l'Histoire mais de statuer sur le droit d'asile qui lui a été accordé, puis repris de façon arbitraire et par arrangements politiques.

Des droits menacés

Le droit d'asile n'ayant été relayé par aucun instrument international contraignant, son application reste tributaire des législations nationales qui peuvent, au gré de choix politiques ou économiques, le restreindre de manière plus ou moins forte, notamment en entretenant sciemment une confusion entre demande d'asile et immigration classique.

Selon le HCR[1], s'il y avait jusqu'à présent une tendance à la baisse en raison d'un déclin des conflits, le nombre de réfugiés dans le monde a augmenté pour atteindre environ dix millions aujourd'hui. Pourtant, dans le même temps, il y a en Europe une baisse du nombre de dossiers déposés. On pourrait donc penser qu'il y a moins de réfugiés en attente d'asile. En fait, les politiques d'immigration et les barrières administratives expliquent essentiellement cette déflation qui n'est qu'apparente.

---

1. Haut-Commissariat des Nations unies pour les réfugiés.

Article 15

1. Tout individu a droit à une nationalité.
2. Nul ne peut être arbitrairement privé de sa nationalité, ni du droit de changer de nationalité.

Appartenir à une nationalité est un droit sans lequel l'individu se trouve en situation de dénuement politique et juridique, comme s'il n'avait **pas d'existence légale**. L'état civil constitue pour lui le cadre au sein duquel il bénéficie de la protection, de l'assistance et de la solidarité de la communauté. *A contrario*, apatride ou déchu de sa nationalité, il est privé de ses liens à l'État et n'a plus le moyen de faire respecter ses droits. La nationalité reste toutefois une notion de nature purement juridique et n'enferme personne dans une essence définitivement figée : chacun doit donc pouvoir changer de nationalité s'il le désire.

Des droits menacés

Si tout individu a droit à une nationalité et ne peut en être privé, la situation tragique des Palestiniens constitue ici un cas très problématique. Entre 1947 (plan de partage de la Palestine) et 1948 (proclamation de l'État d'Israël et première guerre israélo-arabe), des centaines de milliers de personnes ont été contraintes de fuir leur terre en abandonnant leurs maisons et leurs champs, ainsi que leurs moyens de subsistance, sans indemnisation. Au cours de cette période, entre sept cent mille et huit cent mille Arabes ont quitté leurs lieux d'habitation pour trouver refuge dans les pays voisins (notamment la Syrie, la Jordanie et le Liban).

On peut parler de tragédie pour plusieurs raisons. D'abord parce que, depuis quatre générations maintenant, le problème n'est toujours pas réglé et le peuple palestinien reste, dans sa grande majorité, apatride par la force des choses. Ensuite, parce que, dans les pays qui les ont accueillis, les Palestiniens demeurent marginalisés et confinés dans des camps par peur de déstabilisation nationale. Enfin, parce que leur cause est instrumentalisée, aussi bien par les extrémistes israéliens que par les pays arabes qui s'en servent comme d'un étendard essentiel à leur politique intérieure et étrangère.

Article 16

1. À partir de l'âge nubile, l'homme et la femme, sans aucune restriction quant à la race, la nationalité ou la religion, ont le droit de se marier et de fonder une famille. Ils ont des droits égaux au regard du mariage, durant le mariage et lors de sa dissolution.

2. Le mariage ne peut être conclu qu'avec le libre et plein consentement des futurs époux.

3. La famille est l'élément naturel et fondamental de la société et a droit à la protection de la société et de l'État.

La liberté de s'unir par lien marital fait aussi partie de nos droits fondamentaux. Cet article pose les conditions dans lesquelles le mariage peut être contracté ainsi que les droits réciproques dont chacun des époux doit pouvoir bénéficier. Il pose d'abord un âge minimum qui correspond à la puberté parce qu'il est évident qu'avant cette période de la vie un mariage paraît inapproprié, aussi bien pour des raisons physiologiques qu'affectives et psychologiques. On ne saurait donc marier deux enfants entre eux et encore moins un enfant avec un adulte. Ensuite, c'est **en pleine liberté** que deux personnes doivent pouvoir se choisir l'une l'autre, sans que leurs traditions ou un système discriminatoire les en empêchent. Par conséquent, ni la race, ni la religion, ni la nationalité ne constituent des motifs qui peuvent légitimement empêcher une union. Par ailleurs, l'homme et la femme doivent jouir des mêmes droits dans le mariage comme lors d'une éventuelle dissolution. Ainsi, aucun des deux époux ne peut invoquer son appartenance à une catégorie sociale particulière, son sexe ou son origine pour justifier une inégalité de principe. En cas de divorce, chacun est donc également soumis aux mêmes devoirs et bénéficie des mêmes droits. Toute forme de répudiation, de spoliation de biens, d'abandon à une indigence économique par la séparation est donc proscrite au regard des droits de l'homme dont on oublie trop souvent qu'ils sont aussi ceux de la femme. Enfin, la Déclaration insiste sur l'importance de la cellule familiale conçue comme un élément fondamental de la société et qu'il faut par conséquent protéger. Cela implique que l'État a un devoir envers la famille et qu'il doit conduire une politique volontariste pour lui permettre de se développer (ce qui renvoie en particulier à l'éducation, à la santé et aux prestations sociales).

? Dilemme

Dans cet article, il y a un présupposé qui renvoie aujourd'hui à un sujet polémique. Le texte précise en effet que ce sont **l'homme et la femme** qui sont concernés par le mariage en excluant implicitement l'idée d'une union entre deux personnes du même sexe. Il en découle donc également une vision de la famille restreinte à l'hétérosexualité avec pour conséquence le problème de l'adoption par des couples homosexuels qui, au regard de ce qui apparaît ici en filigrane, ne constituent pas une cellule familiale. Il appartient à chacun de se faire sa propre idée sur cette question et l'objet n'est pas ici de discuter de ce qui doit faire norme ou pas. Cela n'empêche cependant pas de formuler la problématique qui peut aider à prendre position en évitant les représentations réductrices ou les préjugés. La question centrale doit être celle de la nature de la famille : qu'est-ce qu'une famille ? S'il est juste d'affirmer que la famille est la première de toutes les sociétés et la seule qui soit naturelle comme le notait déjà Rousseau dans le *Contrat social*, il faut immédiatement reconnaître que sa composition est également travaillée par la culture. En effet, les structures familiales sont très différentes culturellement et l'Histoire comme l'anthropologie témoignent de l'extrême variabilité de cette institution : monogamie, polygamie, extension juridique à l'ensemble de ceux qui vivent sous le même toit (la *familia* romaine), patriarche autour duquel est réuni le reste du groupe, absence de modèle conjugal, élargissement au clan, « redistribution » des enfants aux femmes stériles ou aux coépouses dans les familles polygynes (comme c'est le cas chez les Mossi au Burkina Faso), etc. Dès lors, si l'existence de la famille relève bien de l'universel et de la nature, ses formes et ses manifestations sont toujours particulières et c'est bien là le signe incontestable de la culture. Ce n'est qu'en prenant en considération cet argument que l'on peut se décentrer de représentations qui figeraient le mariage et l'idée de ce qu'est ou doit être une famille, que l'on peut ensuite sereinement envisager le problème posé dans ce dilemme, en dépassant la simple vision biologique.

Des droits menacés

En matière matrimoniale, les principales violations des droits humains renvoient essentiellement aux mariages forcés ou à ceux qui sont contractés entre des individus non pubères, ce qui revient finalement au même. Le poids des traditions joue ici un rôle déterminant, notamment celles qui sont inspirées par la religion et qui peuvent limiter les unions à des choix intracommunautaires ou bien les contraindre sans le consentement des époux. Par exemple, pour le premier point, l'islam n'autorise théoriquement le mariage qu'entre musulmans. Le musulman peut toutefois épouser une femme chrétienne ou juive puisque ces deux religions sont monothéistes et que le Coran considère leurs adeptes comme « les gens du Livre » (*al Kithab*, sous-entendu, la Bible). En revanche, une musulmane ne peut s'unir à un non-musulman et ni l'homme ni la femme n'ont le droit de se marier avec une personne athée ou dont les croyances sont polythéistes. Le poids de ces coutumes peut donc clairement entraver les libertés en matière de vie conjugale et il faut noter que l'islam n'est pas la seule croyance à être concernée. En effet, à des degrés divers, le problème se pose aussi pour les juifs, les animistes, les chrétiens ou les hindous selon l'influence de leur milieu social.

Mais c'est surtout l'existence des mariages forcés dans le monde qui constitue ici une violation évidente des droits de l'homme. Il y a mariage forcé lorsque les deux époux sont contraints par leur famille respective à contracter une union, ou bien quand l'un des deux conjoints est obligé d'accepter un mariage qu'il n'a pas librement décidé (ce qui n'est pas la même chose qu'un mariage « arrangé »). Selon Amnesty International, c'est en Afrique et en Asie que ces pratiques sont le plus répandues. Par exemple, en Inde, environ 50 % des filles sont mariées avant leurs 15 ans et 10 % avant leurs 10 ans. La France n'est pas épargnée par le phénomène puisque, d'après un rapport du Haut Conseil à l'intégration de 2003, soixante-dix mille mineures auraient été concernées cette même année (le conditionnel est important ici parce que ces dernières statistiques ne sont pas absolument fiables attendu qu'il ne s'agit que d'une estimation).

Article 17

1. Toute personne, aussi bien seule qu'en collectivité, a droit à la propriété.
2. Nul ne peut être arbitrairement privé de sa propriété.

La propriété est aussi l'une des conséquences de l'état civil. S'il n'y avait qu'un état de nature (voir le commentaire de l'article 7 pour plus de précision sur cette distinction), il n'existerait que des « **possessions** » fondées sur l'arbitraire de la force et impossibles à pérenniser puisqu'elles changeraient de mains au gré de la plus grande brutalité dont ceux qui les convoitent sont capables. À l'instar du monde animal où la jouissance d'un territoire implique une lutte de chaque instant pour sa conservation, la simple possession est donc à la fois précaire et suppose la violence, pour la défendre comme pour s'en emparer.

Dans un système civil au contraire, nous ne possédons que ce qui relève de notre propriété par un acte légal et c'est la loi qui nous protège d'une spoliation arbitraire, tout en régulant les échanges éventuels. Si la propriété est un droit humain fondamental, c'est parce qu'elle permet en particulier de profiter des fruits de notre travail, de procéder à des transactions, de faire fructifier un capital et de transmettre un patrimoine à notre descendance. Tout ce qui entrave ces libertés apparaît donc au contraire comme opposé aux droits de l'homme.

Des droits menacés

Sitôt qu'un conflit éclate dans le monde, on assiste à des spoliations arbitraires de territoires et de biens. La situation catastrophique du Darfour, région située dans l'ouest du Soudan, est ici un exemple particulièrement probant. L'ONU estime que depuis 2003, quatre cent mille personnes sont mortes à la suite des exactions commises par l'armée régulière soudanaise, mais surtout par les Janjawids, une milice proche du pouvoir de Khartoum et constituée par des tribus nomades arabisées. Celles-ci massacrent et pillent les populations musulmanes sédentarisées de souche noire-africaine. Deux millions et demi de personnes ont dû fuir leurs villages pour échapper au génocide, une partie a cherché refuge au Tchad.

Le gouvernement a trouvé là un moyen de se débarrasser d'une opposition qui s'était manifestée contre lui, tandis que les Janjawids profitent de l'occasion pour prendre arbitrairement possession de terres dans un pays où la sécheresse est endémique et où la moindre ressource exacerbe les convoitises. Le fait que le sous-sol du Darfour soit riche en pétrole achève de compliquer la situation.

Article 18

Toute personne a droit à la liberté de pensée, de conscience et de religion ; ce droit implique la liberté de changer de religion ou de conviction ainsi que la liberté de manifester sa religion ou sa conviction, seule ou en commun, tant en public qu'en privé, par l'enseignement, les pratiques, le culte et l'accomplissement des rites.

La Déclaration distingue ici trois choses : la liberté de pensée, la liberté de conscience et la liberté de religion (dans un ordre qu'il est important de préserver ainsi). On peut se représenter ces trois déclinaisons de la liberté comme des poupées russes emboîtées les unes dans les autres. La liberté de pensée contient la liberté de conscience comme une de ses modalités et celle-ci contient à son tour la liberté de religion :

La liberté de conscience se définit comme la capacité à faire des choix, sans subir la contrainte intellectuelle d'un tiers qui aurait la volonté de nous diriger ou de penser à notre place. C'est aussi la liberté de poser des valeurs auxquelles on croit et qui fixent une orientation à notre vie. Ces valeurs peuvent être contestables, mais lorsqu'il s'agit de notre propre existence, nul n'a le droit d'y substituer par force les siennes. Nous avons donc également le droit de nous tromper, le droit de choisir une voie morale qui nous est propre lors même qu'elle entre en décalage avec celle que la société peut poser comme une norme. Cela implique des manifestations aussi diverses que les choix politiques, les projets professionnels, la vie sexuelle, les partis pris éthiques, les positions philosophiques, etc. Par exemple, celui qui refuse de porter des armes manifeste une « objection de conscience » que la société doit pouvoir respecter. C'est ainsi que, lorsque le service militaire était encore obligatoire en France, la loi prévoyait un cadre de substitution avec un engagement civil. On parlera d'ailleurs d'« objection de conscience » chaque fois qu'une personne alléguera un motif moral lié à des convictions personnelles pour ne pas se livrer à un acte qu'elle réprouve (sous ce rapport, par exemple, un médecin ne peut être contraint de pratiquer des avortements, lors même que l'IVG est légale). Enfin, la liberté de religion constitue un cas particulier de la liberté de conscience envisagée dans sa dimension spirituelle. Elle suppose que chacun est libre de croire, **ou de ne pas croire**, en un système religieux. Il n'y a donc aucune obligation à avoir telle religion plutôt que telle autre (ce que l'idée de religion d'État contredirait potentiellement), mais surtout, aucune obligation d'avoir une religion tout court : l'homme a le droit de vivre sans dieux. Cette autonomie à l'égard du divin est finalement une condition de possibilité de la Déclaration des droits de l'homme elle-même, car c'est ici sans référence à un quelconque créateur que l'être humain jouit de droits imprescriptibles. Il est sujet de droits eu égard au fait qu'il est habité par une conscience et non parce qu'il tire sa dignité d'un être suprême et transcendant.

Si l'ordre de présentation de ces libertés a une importance, c'est parce qu'il permet de faire de la liberté de religion un cas particulier de la liberté de conscience et de la liberté de pensée. Dans l'hypothèse où notre schéma devrait s'inverser, on prendrait alors le risque de déterminer l'intégralité des formes de la pensée par l'approche religieuse :

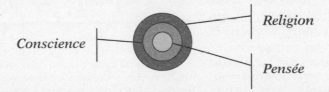

Conscience — *Religion* / *Pensée*

Dans ce cas, la liberté de religion étant première, elle prendrait une dimension non seulement fondatrice des autres libertés, mais aussi constitutive de l'acte même de penser qui **serait immédiatement posé dans son rapport à la croyance**. Au contraire, puisque c'est le droit de penser librement qui a une place prééminente, la religion qui se traduit par un culte auquel on adhère ou non peut également devenir objet de pensée et donc, de critique. Ainsi, nous avons le droit de changer de religion, ou bien de passer de la croyance à la non-croyance puisque la liberté de pensée en général prime sur les autres modalités particulières de l'activité intellectuelle. Rappelons que ce droit de penser librement protège finalement les croyants eux-mêmes des dérives éventuelles de leur propre religion en matière d'apostasie (abandon de la foi)[1]. La Déclaration garantit également aux personnes le droit de pouvoir manifester leurs convictions ou leurs croyances religieuses. Chacun a donc la possibilité d'exprimer publiquement sa pensée, y compris en matière spirituelle, et par conséquent, nul ne doit être inquiété au prétexte qu'il pratique tel ou tel culte.

 Dilemme

Si la liberté de pensée paraît absolument fondamentale, elle se heurte toutefois à certaines limites nécessaires qui montrent qu'on ne peut l'étendre sans discernement. En effet, la liberté d'avoir ses propres idées ou opinions nous expose à deux risques : le premier est le nivellement des idées (tout se vaut) et le second est la possibilité de faire valoir des positions idéologiquement dangereuses ou violentes, au prétexte d'une contradiction interne lorsqu'on déclare à la fois le droit de penser librement et l'interdiction

---

1. Pour ne prendre que quelques exemples, dans le catholicisme et malgré la déclaration de Vatican II « *Dignitatis humanæ* » qui insiste sur la liberté religieuse, quiconque abandonne la foi chrétienne commet un péché puisqu'il renonce délibérément à Dieu. En islam – et bien que le Coran stipule qu'il ne peut y avoir de contrainte en religion – le musulman qui abjure sa foi ou qui se convertit à un autre culte est déconsidéré, voire menacé physiquement. En 2006, Abdul Rahman a obtenu l'asile politique en Italie parce qu'il risquait la peine de mort en Afghanistan au prétexte d'une conversion au christianisme. Pour prendre un dernier exemple, depuis mars 2006, la loi algérienne punit d'emprisonnement « quiconque incite, contraint ou utilise des moyens de séduction tendant à convertir un musulman à une autre religion ».

d'avoir et de diffuser certaines pensées pour des raisons morales. À cet égard, par exemple, une personne qui a des convictions racistes pourrait invoquer son droit à la libre-pensée pour les exprimer publiquement et chercher à les défendre en ralliant les autres à sa cause. Il est pourtant possible de lever la contradiction apparente en établissant une distinction entre tolérance et respect. La tolérance consiste à accepter que l'autre ait ses propres opinions, fussent-elles fausses, infondées ou inacceptables sur un plan éthique. À ce titre, elle est purement négative ou passive en ce sens qu'elle « accueille » tout sans porter de jugement. C'est précisément sur ce point que le respect diffère puisqu'il exige une justification rationnelle et argumentée : tolérer une idée, c'est accepter sa présence au seul motif de son droit à exister alors que respecter une idée, quand bien même nous n'y souscrivons pas, revient à lui reconnaître une légitimité qui déborde le simple cadre de l'indifférence. Le respect modère donc les errances de la tolérance molle qui consiste à tout accepter sans le contrôle de la raison. **Il pose du même coup les limites de l'intolérable.** Invoquer la liberté de pensée pour justifier le droit d'être raciste est ainsi contradictoire dans les termes puisqu'il s'agit alors de se réfugier dans un principe que je dénie à l'autre (s'il y a des races inférieures, la liberté de leurs représentants ne peut qu'être de moindre importance par rapport à la mienne). C'est pour cela que la loi française [1] considère le racisme comme un **délit** et non comme une opinion tolérable : dire qu'autrui a une valeur inférieure parce qu'il est différent témoigne du non-respect de principes même des droits humains qui impliquent une unité indéfectible du genre auquel nous appartenons tous, quelle que soit notre origine ethnique. Dès lors, ce qui n'est pas respectable ne saurait donc être toléré et la liberté de pensée ne nous autorise pas à penser n'importe comment.

Des droits menacés

La liberté de pensée est loin d'être une réalité pour toute une partie du monde. Environ un quart des pays de la planète vit sous le joug d'un système plus ou moins auto-

---

1. Loi du 1er juillet 1972.

ritaire interdisant ou réduisant l'opposition politique, la liberté de la presse, le droit à l'information. Le simple fait d'avoir une opinion divergente du pouvoir en place peut parfois valoir une peine de prison, voire la torture ou la mort. On pourrait croire qu'Internet constitue un moyen commode d'échapper à la répression dans les États totalitaires mais, à ce jour par exemple, Amnesty International recense au moins une soixantaine de personnes qui sont emprisonnées arbitrairement pour avoir manifesté une forme de « cyberopposition » via leur blog ou des forums (la majeure partie de cette dissidence virtuelle réprimée concerne la Chine, mais touche aussi actuellement la Libye, la Tunisie, la Syrie, le Vietnam, l'Iran et l'Égypte). Par ailleurs, la pensée libre étant liée à une éducation qui lui offre ses conditions de possibilité mêmes, il est évident que les États dans lesquels l'école n'est pas assurée comme un service public, gratuit, obligatoire et non soumis à l'endoctrinement des masses confine les individus dans une ignorance qui les rend d'autant plus malléables. On estime ainsi que plus de cent vingt millions d'enfants ne vont pas à l'école et parmi eux, il y a une majorité de filles, ce qui redouble l'inégalité scolaire d'une discrimination sexuelle. Quant à la question de la liberté religieuse, les croyances sont bien souvent instrumentalisées par le pouvoir et il n'est pas rare que le culte officiel constitue une menace pour les minorités qui n'y adhèrent pas et soit l'occasion d'institutionnaliser un système discriminatoire. En Égypte, par exemple, il devient de plus en plus difficile pour la minorité chrétienne copte de se livrer au libre exercice du culte et de participer à la vie publique et politique. Le fait que les papiers d'identité égyptiens fassent apparaître la confession des citoyens contribue également à nourrir une stigmatisation implicite.

Article 19

Tout individu a droit à la liberté d'opinion et d'expression, ce qui implique le droit de ne pas être inquiété pour ses opinions et celui de chercher, de recevoir et de répandre, sans considération de frontières, les informations et les idées par quelque moyen d'expression que ce soit.

Penser librement implique la possibilité de communiquer ses pensées, oralement ou par écrit et donc, la liberté d'expression. Si cette liberté est si importante, c'est parce qu'elle est constitutive de la démocratie même où la place de la parole est fondatrice. Ainsi, lorsqu'on évoque l'idée de régime « parlementaire », il faut d'abord considérer celui-ci comme le système au sein duquel **on se parle**. Les différends et les oppositions s'y règlent en effet par la délibération et la parole et non par la violence ou l'arbitraire du pouvoir. Mais ce n'est pas que dans un parlement que l'expression publique doit être possible à moins d'en confisquer l'usage au reste de la société civile en le limitant à la seule représentation politique. Chacun doit ainsi pouvoir manifester ses propres opinions, les diffuser et s'enquérir de celles des autres. À ce titre, le droit à l'information est consubstantiel de la liberté d'expression parce qu'il permet de construire sa propre pensée, de manière autonome et sans subir d'endoctrinement ou de censure. Par ailleurs, l'information constitue également un contre-pouvoir absolument indispensable puisqu'il permet à chacun d'être tenu au courant de la vie politique de son pays en ayant la possibilité d'y porter un regard critique, à condition bien sûr que les sources soient indépendantes et suffisamment variées pour nourrir la réflexion.

? **Dilemme**

La liberté d'opinion et d'expression ne peut être limitée que par l'interdiction de diffamer ou d'inciter à la haine. Dans ce cas, une forme de contrôle légal est effectivement nécessaire pour réguler les dérives éventuelles que l'on justifierait au nom du droit à penser ce que l'on veut, comme le commentaire de l'article précédent le montrait déjà. Mais, entre le contrôle de la légalité des opinions et la censure, la limite est parfois ténue. Un exemple permet ici de poser concrètement le problème, c'est celui des caricatures de Mahomet dont la publication dans un journal danois, puis leur reprise dans différents organes de presse dans le monde ont provoqué un tollé dans une partie de la communauté musulmane ainsi que des mouvements de violence dans certains pays. Un dessin a en particulier suscité beaucoup d'indignation, il s'agit d'une représentation du Prophète portant une bombe en guise de turban et sur laquelle on peut lire la *chahada* écrite en arabe, c'est-à-dire, la profession de foi musulmane (« *Il n'est d'autre dieu qu'Allah et Muhammad est son prophète* »).

On a principalement avancé trois arguments pour condamner et exiger la censure de ces caricatures : elles constituent une insulte à la croyance islamique et un délit de blasphème, elles stigmatisent l'islam en associant ses croyants à des terroristes et enfin, elles ont un caractère raciste. En l'espèce, chacun de ces arguments était éminemment contestable. Dans un État laïc, le sacré dans son expression religieuse appartient au domaine privé et il n'y a de blasphème qu'au regard du dogme, pas de la loi civile. Il est donc possible (et souhaitable) de pouvoir rire de n'importe quelle religion, n'en déplaise aux adeptes. Par ailleurs, l'association des musulmans à des terroristes n'est ici qu'une interprétation et en la matière, on pouvait très bien y voir au contraire une allégorie représentant l'islam s'autodétruisant lorsqu'il entre dans une logique violente par exemple. Chacun doit donc être libre de lire le dessin comme il l'entend, ce que la censure disqualifierait en posant arbitrairement une norme interprétative. Quant à l'accusation de racisme, elle est tout simplement infondée pour une raison simple : l'islam est une religion et non une race. Les choses auraient été évidemment très différentes si l'une des caricatures avait exhorté explicitement à la haine contre les musulmans en encourageant les exactions à leur endroit. La liberté d'opinion et d'expression implique donc que l'on accepte de faire l'objet d'une satire et qu'on laisse se manifester des idées que l'on n'approuve pas.

⚖️ Des droits menacés

La liberté d'expression nécessite des relais médiatiques pour disposer d'une audience, se nourrir des autres opinions et s'enrichir des données nécessaires à sa propre information. À ce titre, la presse constitue un élément essentiel à tout système démocratique.

Or, dans le monde, de nombreux journalistes sont victimes d'intimidations, voire d'emprisonnement arbitraire ou de torture. En 2007, cent vingt-neuf journalistes étaient encore emprisonnés et soixante ont été tués en faisant leur métier. La Chine, Cuba, l'Iran ou l'Éthiopie arrivent en tête des pays les plus répressifs et liberticides en matière d'information. On pourrait penser qu'Internet constitue un espace qui peut systématiquement échapper au contrôle du pouvoir, mais même les nouveaux moyens de communication font l'objet d'une censure. À titre d'exemple, sur le Google chinois (www.google.cn), lorsqu'on tape « Tian'anmen », on n'obtient que des images de touristes souriants ou de monuments historiques. Le gouvernement a passé un accord avec le moteur de recherche américain afin de réorienter les pages Web. Il n'y a dès lors pas de trace des événements de 1989, lorsque les manifestations dénonçant la corruption du régime et réclamant la démocratie s'étaient soldées par une intervention militaire sanglante.

Article 20

*1. Toute personne a droit à la liberté de réunion et d'associa-
tion pacifique.*
2. Nul ne peut être obligé de faire partie d'une association.

Dans la continuité des articles sur la liberté de pensée,
d'opinion et d'expression, celui-ci vise à fonder le droit de
se réunir et de faire partie d'une association sans être
inquiété pour cela. Il introduit simplement une **limite** en
posant l'exigence de la non-violence. Ainsi, tant qu'une
association ne constitue pas une menace pour la sécurité
de la collectivité, elle a toute légitimité pour exister.
A contrario, un groupe paramilitaire, séditieux et armé ne
pourrait, par exemple, pas se réclamer de ce droit et, en
vertu de la nécessaire protection de l'intérêt général,
devrait être démantelé et interdit. De la même manière,
une association de nature politique dont l'idéologie serait
clairement antisémite, raciste ou xénophobe ne pourrait
pas non plus être tolérée.

En complément de cette liberté de réunion et d'association, il était aussi nécessaire d'ajouter **l'absence d'obligation** d'y participer pour les citoyens. L'idée est que, si l'on
est libre de fonder un groupe (culturel, politique, religieux
ou sportif) ou d'y entrer, rien ne peut nous obliger à le
faire. Il est important de le rappeler, notamment pour éviter que des associations proches de l'État ou constituant
une de ses émanations ne se sentent en droit de contraindre
à une adhésion, sous quelque forme que ce soit, directement et par intimidation ou indirectement par discrimination. Ainsi, lorsque les ex-pays du bloc soviétique étaient
soumis à la dictature communiste, il y avait une obligation
implicite d'avoir sa carte du Parti sous peine de ne pouvoir
bénéficier des mêmes prestations que les autres et de s'attirer la suspicion des autorités.

Des droits menacés

La liberté d'association peut poser un problème dans le cas de l'embrigadement sectaire. Lorsqu'une personne est victime de l'influence d'une secte, il devient très compliqué de lui venir en aide parce qu'elle est isolée de sa famille ainsi que du reste de la société et soumise à des pressions très fortes. Ces mouvements ont en commun de pratiquer la manipulation mentale, l'incontestabilité de la doctrine, la soumission intégrale et le culte du dirigeant ou du gourou. Souvent, ils extorquent également de l'argent à leurs adeptes. Un rapport parlementaire de 1995 [1] recense environ cent soixante-dix sectes en France, sans compter les « filiales », avec un nombre de fidèles cumulés proche de cent soixante mille. Certaines sont très puissantes (voir le cas de la scientologie par exemple), elles essaiment par un prosélytisme actif et pratiquent un véritable entrisme politico-médiatique destiné à noyauter les structures de pouvoir. Or, invoquée comme un choix spirituel d'adulte responsable, l'appartenance à ces organisations sous la contrainte morale ou l'abus de crédulité est difficilement identifiable comme une « obligation d'appartenir à une association » telle que le définit l'article 20. Pourtant, lorsque la mécanique sectaire se met en place, cette obligation tacite est bel et bien effective et c'est au mépris des droits de l'homme que des pratiques aliénantes menacent les libertés.

---

1. http://www.assemblee-nationale.fr/rap-enq/r2468.asp.

Article 21

1. Toute personne a le droit de prendre part à la direction des affaires publiques de son pays, soit directement, soit par l'intermédiaire de représentants librement choisis.

2. Toute personne a droit à accéder, dans des conditions d'égalité, aux fonctions publiques de son pays.

3. La volonté du peuple est le fondement de l'autorité des pouvoirs publics ; cette volonté doit s'exprimer par des élections honnêtes, qui doivent avoir lieu périodiquement, au suffrage universel égal et au vote secret ou suivant une procédure équivalente assurant la liberté du vote.

Quelle que soit l'organisation institutionnelle d'un pays, chacun de ses ressortissants a le droit, **sans distinctions**, de participer à la vie publique et politique. Même si le terme de citoyenneté n'est pas explicitement invoqué dans cet article, c'est pourtant bien cette notion dont le statut se trouve en partie défini ici. Contrairement au simple sujet soumis à l'autorité d'un souverain dont le règne est sans partage, le citoyen jouit d'un vrai pouvoir politique que l'on retrouve ici exprimé en quatre points :

– Possibilité de devenir soi-même un élu.

– À défaut d'entrer dans une fonction politique, possibilité de choisir ses représentants.

– Égalité de tous devant ces prérogatives.

– Nécessité d'établir un système de suffrage qui protège et rende effectif l'exercice de ces droits.

 Dilemme

Le pouvoir du peuple, par le peuple et pour le peuple, est le système politique qui paraît à la fois le plus juste et le plus conforme aux droits de l'homme. Mais toute élection démocratique est à la merci d'une errance populaire, notamment en cas de crise économique ou d'instabilité intérieure. Par exemple, on sait bien que les nazis, notoirement antidémocratiques, sont arrivés légalement au pouvoir, portés par les urnes et non par un putsch. Dès lors, que faire lorsque la démocratie conduit ceux qui en nient pourtant les principes à la tête de l'État ? Faut-il annuler les élections, comme cela s'est fait par exemple en Algérie lorsque le Front islamique du salut allait gagner en 1992 ? Un changement constitutionnel intervenu en 1989 avait rendu possibles les premières élections libres dans le pays et les Algériens avaient enfin le droit de créer des partis indépendants ainsi que de manifester. Le FIS, un parti fondamentaliste musulman, en profita alors pour investir l'espace politique en exploitant le mécontentement populaire et la lassitude de la société vis-à-vis des cadres du FLN qui constituaient une véritable caste accaparant le pouvoir depuis l'indépendance. Il remporta le premier tour des législatives et avait mathématiquement l'assurance de gagner les élections. Mais le pouvoir prit peur et, par crainte de purges et de déstabilisation nationale, ce sont les cadres de l'armée qui réagirent et empêchèrent la tenue du second tour. Puisqu'il est impossible de refaire l'Histoire, nous ne pouvons savoir ce que le FIS aurait fait de sa victoire électorale. Ce que l'on sait en revanche, c'est que l'intervention militaire n'a pas empêché la violence de se déchaîner dans le pays puisque les attentats, les meurtres et les enlèvements qui suivirent l'interruption des élections ont, depuis, causé la mort d'au moins cent mille personnes.

⚖ Des droits menacés

L'article 21 définit le cadre politique démocratique dans lequel les droits humains doivent s'exprimer et être protégés. Concrètement, cela suppose que le choix des gouvernants y soit libre, qu'il y ait un multipartisme, que l'alternance soit possible, que chacun puisse se présenter à un mandat et qu'il y ait une garantie constitutionnelle des libertés publiques, avec un contrôle et une séparation des pouvoirs. Or, si le cours de l'Histoire témoigne d'un effacement progressif des régimes autoritaires ou totalitaires, les États réellement démocratiques ne sont pas majoritaires. Sur les cent quatre-vingt-douze pays du monde, environ deux tiers sont officiellement des démocraties électives. Mais si l'on applique des critères sélectifs plus exigeants (nature du multipartisme, degré de corruption, sérieux du scrutin, etc.), seuls cinquante-six respectent véritablement les conditions attendues[1]. Chaque année, le Programme des Nations unies pour le développement (PNUD) publie un rapport sur l'évolution politique mondiale et, en 2006, sur les cent quarante nations procédant à des élections multipartites, plus de cent présentaient encore des restrictions plus ou moins incompatibles avec les principes démocratiques.

---

1. Voir www.freedomhouse.org.

Article 22

Toute personne, en tant que membre de la société, a droit à la sécurité sociale ; elle est fondée à obtenir la satisfaction des droits économiques, sociaux et culturels indispensables à sa dignité et au libre développement de sa personnalité, grâce à l'effort national et à la coopération internationale, compte tenu de l'organisation et des ressources de chaque pays.

Nous avons parfois tendance à focaliser la question de la sécurité sur son rapport à la délinquance. Pourtant, la première des insécurités contre laquelle il faut lutter, c'est l'insécurité **économique et sociale**. Cet article en rappelle donc la nécessité en invoquant indirectement la responsabilité du corps social dans son ensemble. C'est en effet un effort « national » et, par conséquent, collectif qui doit permettre à chacun de bénéficier des droits indispensables à son développement. Loin de s'inscrire dans une perspective strictement individualiste, la Déclaration pose de façon récurrente le devoir de la communauté politique vis-à-vis de ses membres en encourageant des rapports sociaux fondés sur une véritable solidarité. Cette solidarité déborde par ailleurs le cadre exclusivement national puisque l'article 22 invite les hommes à chercher une forme de coopération internationale grâce à laquelle les droits qui sont ici invoqués pourront passer d'une universalité de principe à une universalité de fait. Comme pour d'autres articles déjà commentés, c'est encore l'idéal d'une harmonie mondiale qui se dessine ici.

Des droits menacés

Le principe d'une sécurité sociale est destiné à offrir à chacun, et en particulier aux plus démunis, une protection contre les accidents de la vie liés à la maladie, la vieillesse, aux difficultés économiques ou aux brusques changements familiaux. En France, il existe un système de prestations baptisé *Couverture maladie universelle* permettant aux personnes sans, ou à très faibles revenus, de bénéficier d'une couverture santé leur donnant par ailleurs droit à une dispense d'avance des frais. Sachant qu'une personne sur sept renonçait à se faire soigner faute de moyens, le système avait été mis en place pour corriger les inégalités. Mais des enquêtes ont montré que le fait d'être couvert par la CMU constitue pour certains médecins un motif de refus implicite de soins [1].

Quant à la question d'une coopération internationale, il est évident qu'elle est très largement insuffisante en matière de protection sociale et que le décalage économique entre le Nord et le Sud conduit les pays pauvres à être victimes d'une pénurie de professionnels de la santé. Ainsi, il y a par exemple plus de médecins béninois en Île-de-France qu'au Bénin (Rapport 2007 de la Conférence des Nations unies pour le commerce et le développement).

---

1. Voir en particulier l'enquête menée par le Fond CMU du Val-de-Marne. À partir d'une méthode de « testing » téléphonique, on a comparé les résultats de demandes de rendez-vous entre une personne se faisant passer pour bénéficiaire de la CMU et une autre pour un assuré ordinaire. Là où la première se voyait souvent opposer des refus motivés par un planning prétendument surchargé, la seconde n'avait pas de difficulté pour être reçue. 41 % des spécialistes sollicités ont ainsi été « piégés » par cette enquête.

Article 23

1. Toute personne a droit au travail, au libre choix de son travail, à des conditions équitables et satisfaisantes de travail et à la protection contre le chômage.

2. Tous ont droit, sans aucune discrimination, à un salaire égal pour un travail égal.

3. Quiconque travaille a droit à une rémunération équitable et satisfaisante lui assurant ainsi qu'à sa famille une existence conforme à la dignité humaine et complétée, s'il y a lieu, par tous autres moyens de protection sociale.

4. Toute personne a le droit de fonder avec d'autres des syndicats et de s'affilier à des syndicats pour la défense de ses intérêts.

Pouvoir travailler dans de bonnes conditions et avec une rémunération permettant de satisfaire ses besoins élémentaires, ainsi que l'accès à tous les services grâce auxquels le développement physique et intellectuel est favorisé constitue un droit pour tous et **non un privilège**. Si le travail est régulé par des devoirs pour le salarié, la nature de l'activité que l'on exerce doit pouvoir rester l'objet d'un choix. Cette exigence est nécessaire afin de protéger à la fois la liberté de changer de travail et celle de se former pour le métier qui correspond le mieux à nos aspirations. Par ailleurs, l'article insiste sur l'égalité et l'équité : la première impliquant l'absence de discrimination (sexuelle ou raciale par exemple) et la seconde un salaire ajusté à la pénibilité ou au niveau de qualification. Des prestations sociales adaptées aux revenus peuvent aussi compléter les disparités salariales et l'on retrouve ici l'esprit de solidarité qui anime l'ensemble de la Déclaration. Enfin, les libertés syndicales sont irrévocables : le travailleur jouit ainsi de la possibilité d'être défendu par une force collective qui représente ses intérêts face aux employeurs.

? Dilemme

Comment poser un droit *au* travail ? Ce n'est pas la même chose que le droit *de* travailler. Le principe de cet article est que chaque pays doit se fixer pour objectif d'assurer aux citoyens la possibilité de participer à la vie économique en favorisant une juste répartition des richesses et du travail. Mais en invoquant le « droit au travail », il implique l'obligation de fournir du travail à tous, ce qui peut conduire celui qui est contraint au chômage à se considérer comme juridiquement lésé et non plus simplement économiquement. Il s'agit alors en effet d'un droit *créance* qui se distingue du droit *liberté*. Les droits créances sont les droits « à », ils permettent aux citoyens d'exiger une prestation de la société dans laquelle ils vivent (par exemple, la santé ou l'éducation). Les droits liberté sont les droits « de », c'est-à-dire, ceux qui fondent légalement la possibilité de faire ou non quelque chose (par exemple, le droit de s'exprimer publiquement ou celui de voter). Or, ici, comment exiger un travail lorsque la situation économique est critique ? Si l'on peut revendiquer d'être soigné ou éduqué, on voit que pour ce qui concerne le travail, la problématique est plus complexe en matière de droit créance.

Des droits menacés

Parmi les nombreuses situations de violation flagrante de cet article dans le monde, on peut prendre l'exemple de la Chine, dont on vante souvent la fabuleuse croissance économique (10 % par an en moyenne), en oubliant toutefois que cette réussite exceptionnelle a un coût humain désastreux. Pour accroître son développement, le pays organise un exode massif de travailleurs ruraux vers les grandes villes où ils sont exploités. Exclus de la santé publique, privés de l'accès à l'éducation, sous-payés, astreints à des journées de travail harassantes et des cadences de production inhumaines, ils sont par ailleurs le plus souvent entassés dans des logements insalubres. D'après Amnesty International, entre cent cinquante et deux cents millions de personnes sont ainsi concernées. Alors qu'ils sont citoyens chinois, un système discriminatoire baptisé *hukou* (livret de recensement) en fait des déclassés contraints de se faire enregistrer comme résidants temporaires. Ils sont dès lors soumis à une bureaucratie méprisant sciemment leurs droits.

Article 24

Toute personne a droit au repos et aux loisirs et notamment à une limitation raisonnable de la durée du travail et à des congés payés périodiques.

Sans la contrepartie d'une durée adaptée et de périodes de repos nécessaires aux loisirs, à la vie de famille et au développement personnel, le travail s'apparente à de l'esclavage et de l'exploitation. Tout travailleur est donc avant tout un être humain qu'il ne faut pas aliéner par un labeur lui ôtant progressivement son humanité en le réduisant à un simple organe mécanique de production.

Des droits menacés

Selon une étude du Bureau international du Travail[1] portant sur une cinquantaine de pays, un travailleur sur cinq fait plus de quarante-huit heures par semaine et ceci, sans contrepartie financière systématique. Cela fait plus de six cents millions de personnes qui sont astreintes à un rythme particulièrement éprouvant. Les pays industrialisés ne sont pas nécessairement épargnés par ce phénomène. Par exemple, en Corée du Sud, presque la moitié des salariés sont concernés (à titre de comparaison, la proportion est de 14,8 % en France). Dans les pays en voie de développement, il est particulièrement difficile de poser des règles protectrices plus restrictives en raison de la faiblesse des salaires et des mécanismes économiques locaux. Les travailleurs sont ainsi poussés à faire toujours plus afin de gagner le minimum vital.

---

1. Le BIT est rattaché à l'ONU. Son siège est à Genève et il est chargé d'étudier toutes les questions liées au travail dans le monde afin d'aider à une meilleure harmonisation des pratiques.

Article 25

1. Toute personne a droit à un niveau de vie suffisant pour assurer sa santé, son bien-être et ceux de sa famille, notamment pour l'alimentation, l'habillement, le logement, les soins médicaux ainsi que pour les services sociaux nécessaires ; elle a droit à la sécurité en cas de chômage, de maladie, d'invalidité, de veuvage, de vieillesse ou dans les autres cas de perte de ses moyens de subsistance par suite de circonstances indépendantes de sa volonté.

2. La maternité et l'enfance ont droit à une aide et à une assistance spéciales. Tous les enfants, qu'ils soient nés dans le mariage ou hors du mariage, jouissent de la même protection sociale.

Il s'agit ici de poser l'exigence, pour toute personne, de pouvoir vivre décemment, en déclinant les différents éléments qui concourent à ce niveau de vie minimal. Conjointement, la Déclaration affirme la nécessité de bénéficier de prestations sociales spécifiques pour les différents accidents de la vie et elle insiste également sur les soins particuliers qu'il faut accorder aux mères et aux enfants, lesquels doivent jouir d'une égale protection indépendamment des conditions de leur naissance (enfants légitimes, naturels, nés d'une union reconnue ou non). En développant l'idée d'un niveau de vie suffisant et en établissant un devoir social d'assistance envers les plus faibles, les droits de l'homme incitent les États à travailler à une **juste répartition des richesses**, entre eux et pour leurs propres citoyens.

Des droits menacés

Pour que le niveau de vie suffisant soit assuré, il faut une meilleure redistribution des richesses dans le monde. Or, la situation est au contraire hautement inégalitaire et des écarts de développement abyssaux constituent toujours des obstacles majeurs à l'effectivité de cet article. On estime que 16 % de la population mondiale possède à elle seule 80 % des richesses. Ce décalage implique des inégalités au plan alimentaire (malnutrition, famine, accès à l'eau), en terme sanitaire (mortalité élevée, espérance de vie réduite, hygiène) ou encore de logement (insalubrité, précarité). 1,2 milliard de personnes vivent avec moins de 1 dollar par jour, 2,8 avec moins de 2 dollars, 840 millions souffrent de la faim. Quant à l'assistance particulière due à la maternité et à l'enfance, que la Déclaration fixe ici comme une exigence, on constate également qu'elle est démentie par les chiffres. Chaque année, plus de dix millions d'enfants meurent de malnutrition ou des suites de maladies que l'on peut cependant prévenir ou guérir. Pendant sa vie, une femme habitant en Afrique subsaharienne court un risque sur 16 de mourir en couches tandis que le rapport n'est plus que de 1 sur 2 600 dans les pays développés.

Une étude du PNUD estime que le fait de consacrer 80 milliards de dollars de plus par an à l'aide au développement sur dix ans permettrait d'assurer les soins de base à la totalité de la population du monde. À titre de comparaison, les dépenses militaires mondiales étaient de plus de 1 200 milliards de dollars en 2006.

Article 26

1. Toute personne a droit à l'éducation. L'éducation doit être gratuite, au moins en ce qui concerne l'enseignement élémentaire et fondamental. L'enseignement élémentaire est obligatoire. L'enseignement technique et professionnel doit être généralisé ; l'accès aux études supérieures doit être ouvert en pleine égalité à tous en fonction de leur mérite.

2. L'éducation doit viser au plein épanouissement de la personnalité humaine et au renforcement du respect des droits de l'homme et des libertés fondamentales. Elle doit favoriser la compréhension, la tolérance et l'amitié entre toutes les nations et tous les groupes raciaux ou religieux, ainsi que le développement des activités des Nations unies pour le maintien de la paix.

3. Les parents ont, par priorité, le droit de choisir le genre d'éducation à donner à leurs enfants.

À tous égards, le progrès de l'humanité ne peut passer que par l'éducation et, ceci, aussi bien du point de vue moral que culturel ou scientifique. Sans éducation ni instruction, nous n'accédons pas à la liberté et l'on reste sous **tutelle intellectuelle**. L'école constitue donc un rempart contre la tyrannie, l'obscurantisme, la haine de l'autre ou encore la relégation sociale. C'est pourquoi la Déclaration en fait un droit inaliénable et, par conséquent, un devoir pour tous les gouvernements. Elle établit par ailleurs les principes qui doivent guider son organisation :

– La gratuité, au moins pour l'enseignement primaire, qui donne les bases essentielles à tous les apprentissages ultérieurs.

– Le développement de l'enseignement technique grâce auquel une professionnalisation est possible, ce qui fournit par ailleurs aux pays qui s'y emploient des travailleurs qualifiés assurant une indépendance industrielle et technologique.

– L'égalité d'accès à l'université sans laquelle les études supérieures ne sont réservées qu'à une élite que l'on sélectionne essentiellement par l'argent (d'où l'affirmation du « mérite » comme seul critère légitime).

– Des finalités qui sont bien éducatives et qui n'ont pas pour seul objectif de fournir de la main-d'œuvre formée ou des individus dociles. C'est pourquoi la notion d'épanouissement est invoquée dans l'article. L'éducation est, sous ce rapport, un vecteur fondamental permettant aux droits de l'homme de pénétrer les consciences : c'est en quelque sorte un droit qui conditionne à son tour le droit lui-même.

– Enfin, la priorité accordée aux parents pour les choix éducatifs. Il s'agit là de rappeler que l'éducation n'appartient pas seulement et intégralement à l'État, ce qui évite la confiscation des valeurs par le seul pouvoir politique. Un système totalitaire cherchera au contraire à tout verrouiller par un enseignement instrumentalisé lui assurant la soumission de tous. Voici par exemple ce qu'Adolf Hitler préconisait pour la jeunesse allemande :

> « *Nous ferons croître une jeunesse devant laquelle le monde tremblera. Une jeunesse, impérieuse, intrépide, cruelle. C'est ainsi que je la veux. Elle saura supporter la douleur. Je ne veux en elle rien de faible ni de tendre. [...] Je ne veux aucune éducation intellectuelle. Le savoir ne ferait que corrompre mes jeunesses* [1]. »

⚖ Des droits menacés

Dans le monde, environ un enfant sur cinq n'est pas scolarisé, parce que l'école est trop loin ou trop chère, ou bien parce qu'il faut qu'il travaille à un âge précoce pour participer à la subsistance de la famille. Par ailleurs, on estime qu'il y a probablement un milliard d'adultes analphabètes, dont les deux tiers au moins sont des femmes. L'implication et les efforts de l'État sont déterminants pour permettre à tous de bénéficier d'un vrai service public d'éducation sans lequel le progrès social est compromis. Or, à cet égard, on constate un décalage très net entre les pays riches et ceux qui sont en voie de développement. Ainsi, le pourcentage du PIB consacré à l'éducation est en

---

[1]. Propos recueillis par Hermann Rauschning, *Hitler m'a dit*, Hachette, 2005.

moyenne de 6 % pour les premiers et de 3 % pour les seconds. Attendu que le PIB est déjà sans commune mesure entre les grandes puissances économiques et les pays les plus pauvres [1], cette autre disparité ne fait que souligner combien les inégalités sont endémiques.

---

1. Par exemple, en 2006, le PIB des États-Unis était de 44 190 dollars par habitant et celui de l'Éthiopie de 177 dollars.

Article 27

1. Toute personne a le droit de prendre part librement à la vie culturelle de la communauté, de jouir des arts et de participer au progrès scientifique et aux bienfaits qui en résultent.
2. Chacun a droit à la protection des intérêts moraux et matériels découlant de toute production scientifique, littéraire ou artistique dont il est l'auteur.

Le développement et le bien-être de l'homme passent également par la vie culturelle. Il ne suffit donc pas de pouvoir satisfaire ses besoins purement biologiques pour pouvoir s'épanouir (manger à sa faim, avoir un toit, conserver sa vie). En effet, il s'agit là d'une condition nécessaire mais non suffisante. L'accès à la culture est également une exigence fondamentale sans laquelle nul ne peut accomplir son humanité et dont le défaut est préjudiciable à l'ensemble de la société. Chacun doit donc pouvoir accéder aux productions culturelles (arts, sciences, techniques), aux lieux institutionnels dans lesquels elles se déploient (musées, théâtres, bibliothèques) ainsi qu'aux moyens d'en créer soi-même. Par ailleurs, rien ici ne saurait être réservé à une élite financière ou intellectuelle et tous les hommes ont le droit de bénéficier des progrès que l'on doit à la culture. Le deuxième point de l'article protège les créateurs de toute spoliation en invoquant l'idée d'une propriété intellectuelle de ce qui est produit.

Des droits menacés

Ici, ce sont surtout les disparités économiques qui entravent le droit. Sans même aller puiser des exemples dans le décalage abyssal entre les pays riches et ceux qui sont en voie de développement, on constate que les premiers, dont l'offre, les structures et les moyens ne sont pas comparables, laissent cependant une partie de leur population en situation de relégation culturelle. Il suffit pour cela de consulter des données statistiques [1] : on s'aperçoit alors que l'accès à la culture est tributaire du milieu social auquel on appartient, des ressources dont on dispose pour s'y consacrer, du lieu où l'on habite et du parcours scolaire. Il existe alors un véritable cercle vicieux parce que les inégalités culturelles et les inégalités sociales s'entretiennent mutuellement.

---

1. Des études de l'INSEE sont disponibles en ligne (www.insee.fr).

Article 28

Toute personne a droit à ce que règne, sur le plan social et sur le plan international, un ordre tel que les droits et libertés énoncés dans la présente Déclaration puissent y trouver plein effet.

Comme on a déjà pu le constater à la lecture du préambule, les droits de l'homme ne sauraient relever d'un simple projet purement formel mais doivent trouver une expression concrète et effective. Toutes les sociétés et toutes les nations ont donc le devoir de lui assurer ce passage de l'idéal aux faits. Il faut rappeler ici combien il est important de travailler constamment à cette réalisation pratique dans la mesure où ce que l'ensemble du texte prescrit fait chaque jour l'objet d'une grave violation de par le monde et que, là où on s'en réclame, rien n'est acquis pour toujours.

Des droits menacés

Le règne international des droits de l'homme peut être menacé par une soumission progressive du politique au pouvoir économique. L'ordre permettant le plein effet de la Déclaration suppose que les gouvernements et les instances internationales priment sur les intérêts financiers privés. Or, la puissance phénoménale de grands groupes mondiaux constitue ici une menace pour cette indépendance. Lorsqu'on constate que certaines multinationales ont une force financière équivalente, voire supérieure à certains États, il y a de quoi s'inquiéter d'un transfert implicite de pouvoirs et d'une menace pour la démocratie. À titre de comparaison, le groupe pétrolier ExxonMobil affichait fin 2005 un chiffre d'affaires de 339 milliards de dollars, devançant ainsi le PIB de la Suède par exemple. Par ailleurs, le fait que le devenir économique du monde soit déterminé par des structures non élues [1] pose aussi un certain nombre d'interrogations légitimes.

---

1. OCDE, OMC, Banque mondiale ou FMI par exemple.

Article 29

1. L'individu a des devoirs envers la communauté dans laquelle seul le libre et plein développement de sa personnalité est possible.

2. Dans l'exercice de ses droits et dans la jouissance de ses libertés, chacun n'est soumis qu'aux limitations établies par la loi exclusivement en vue d'assurer la reconnaissance et le respect des droits et des libertés d'autrui et afin de satisfaire aux justes exigences de la morale, de l'ordre public et du bien-être général dans une société démocratique.

3. Ces droits et libertés ne pourront en aucun cas s'exercer contrairement aux buts et aux principes des Nations unies.

Cet article établit le cadre de l'obéissance légitime à la loi et celui de l'exercice des libertés. D'abord, d'un point de vue individuel (1), ensuite, dans le rapport à autrui (2), enfin, eu égard aux principes internationaux (3).

Pour le premier point, le texte est sans ambiguïté lorsqu'il affirme que l'individu a des devoirs envers la communauté **dans laquelle seul** le libre et plein développement de sa personnalité est possible. Autrement dit, nous ne sommes tenus de respecter les lois de notre pays que pour autant qu'elles assurent et protègent effectivement la liberté. Cette conception est directement héritée de la philosophie politique du XVIIIᵉ siècle et de celle de Rousseau en particulier. En effet, on retrouve ici l'un des principes que ce dernier expose dans le *Contrat social*. Le passage à l'état civil (et par conséquent, l'obéissance aux lois qui en découlent) n'est légitime que si nous n'y gagnons plus que ce qu'on y perd, en l'occurrence, la liberté qui caractérise l'état de nature auquel on renonce. Rousseau expose ainsi l'enjeu auquel le contrat est soumis :

« *Trouver une forme d'association qui défende et protège de toute la force commune la personne et les biens de chaque associé, et par laquelle chacun, s'unissant à tous, n'obéisse pourtant qu'à lui-même, et reste aussi libre qu'auparavant. Tel est le problème fondamental dont le* Contrat social *donne la solution*[1]. »

Si au contraire, le contrat est rompu parce que la société est constitutionnellement inégalitaire ou qu'elle sombre dans la tyrannie, alors nous n'avons plus d'obligation envers elle puisqu'elle a renoncé aux siennes envers nous. À ce titre, l'article 29 implique indirectement **le droit de résister à l'oppression**, comme le stipulait plus explicitement déjà la Déclaration de 1789[2]. Là encore, il y a une communauté de pensée très forte avec les thèses de Rousseau qui écrit :

> « *Les clauses de ce contrat sont tellement déterminées par la nature de l'acte, que la moindre modification les rendrait vaines et de nul effet ; en sorte que, bien qu'elles n'aient peut-être jamais été formellement énoncées, elles sont partout les mêmes, partout tacitement admises et reconnues, jusqu'à ce que, le pacte social étant violé, chacun rentre alors dans ses premiers droits, et reprenne sa liberté naturelle, en perdant la liberté conventionnelle pour laquelle il y renonça*[3]. »

En ce qui concerne maintenant le deuxième et le troisième point de l'article 29, il s'agit de soumettre les libertés individuelles à une double exigence : le respect des libertés d'autrui et celui des principes communs aux Nations unies. Ma liberté en tant qu'individu ne saurait donc annuler celle d'autrui et le fait de vivre ensemble impose leur régulation par la loi. Mais, dans la mesure où les conceptions culturelles peuvent varier en la matière et notamment en ce qui concerne les « exigences de la morale » invoquées dans la deuxième partie de l'article, il faut encore poser un cadre de référence universel conjurant toute forme de relativisme. C'est pourquoi on trouve ici la transcendance internationale comme source ultime des valeurs dans lesquelles chacun doit pouvoir se reconnaître.

---

1. Chapitre I, 6.
2. Article 2 : « *Le but de toute association politique est la conservation des droits naturels et imprescriptibles de l'homme. Ces droits sont : la liberté, la propriété, la sûreté, et la résistance à l'oppression.* »
3. Chapitre I, 6.

? Dilemme

Jusqu'où peut aller notre conception de la résistance à l'oppression ? Peut-on se laisser entraîner dans une logique de violence aveugle lorsqu'on est convaincu que la lutte armée clandestine est la seule solution ? Le terrorisme est-il alors acceptable ? Dans *La Cause du peuple*, après la prise d'otages qui s'était soldée par la mort de onze athlètes israéliens lors des jeux Olympiques de 1972 à Munich, Jean-Paul Sartre publia un texte qui fit scandale :

> « *Dans cette guerre, la seule arme dont disposent les Palestiniens est le terrorisme. C'est une arme terrible mais les opprimés pauvres n'ont rien d'autre. Le principe du terrorisme est qu'il faut tuer.* »

Estimant qu'il ne pouvait refuser aux Palestiniens ce qu'il avait moralement accordé au FNL algérien, le philosophe, qui était en même temps favorable à l'existence de l'État hébreu, justifiait donc implicitement l'action terroriste. Il y a pourtant ici une contradiction avec les principes des droits de l'homme, notamment parce que le terrorisme vise indistinctement des civils et qu'il constitue un exemple de violation du dernier article qui stipule qu'on ne peut invoquer les droits humains fondamentaux pour en bafouer conjointement les principes mêmes.

⚖ Des droits menacés

Voir l'article 21 sur les conditions politiques dans lesquelles la vie citoyenne est possible et l'application des droits de l'homme garantie par un système constitutionnel démocratique. Dans l'exposé des droits menacés, on a des éléments qui constituent également une remise en question du présent article, vu le nombre d'États qui ont recours à des pratiques liberticides.

Article 30

Aucune disposition de la présente Déclaration ne peut être interprétée comme impliquant pour un État, un groupement ou un individu un droit quelconque de se livrer à une activité ou d'accomplir un acte visant à la destruction des droits et libertés qui y sont énoncés.

Ce dernier article est une sorte de garde-fou permettant de conjurer l'engrenage d'un despotisme justifié au nom de la préservation des droits humains fondamentaux. L'idée est que la Déclaration ne saurait être exploitée pour aboutir à sa propre destruction, alors qu'on chercherait paradoxalement à la protéger. On ne développe et ne sauvegarde les droits de l'homme qu'en les respectant scrupuleusement et en ne s'autorisant aucune forme de dérogation, y compris en invoquant un principe d'exception qui la rendrait momentanément caduque, pour mieux en réaffirmer les principes ensuite. Par exemple, quand le révolutionnaire Saint-Just déclarait qu'il ne faut pas de liberté pour les ennemis de la liberté, il ouvrait la porte à des dérives inacceptables au nom de la sauvegarde de ce que les révolutionnaires s'apprêtaient pourtant à sacrifier avec la Terreur. Avec la question du terrorisme présentée dans le dilemme précédent, on voit aussi le caractère injustifiable d'actions aveuglément violentes.

Conclusion

Les droits de l'homme sont au cœur d'un paradoxe qui entretient la difficulté de leur avènement. Chacun saisit intuitivement la nécessité d'en défendre les principes mais, dans le même temps, nous avons souvent le sentiment qu'ils sont inapplicables parce qu'ils appartiennent à un idéal inaccessible compte tenu de la violence et des crises qui semblent déterminer le cours de l'Histoire depuis toujours. En outre, l'influence des théories sur le « choc des civilisations [1] » achève de renvoyer l'universalisme induit par la Déclaration au rang d'une justice de papier, en décalage avec les menaces auxquelles le monde est constamment confronté. Au mieux, nous y voyons donc une sorte d'horizon moral qu'on peut essayer d'approcher sans jamais l'atteindre et, au pire, un recueil d'intentions naïves dont il est souhaitable de faire rapidement son deuil afin d'éviter de se bercer d'illusions stériles sur le devenir de l'humanité. Depuis quelques années, une nouvelle forme de critique va encore plus loin et un néologisme a même été inventé pour opérer une remise en cause radicale de la valeur des droits de l'homme, tout en dénonçant l'irresponsabilité supposée de ses défenseurs : le « droit de l'hommisme ». Pour ceux qui en désapprouvent les idées, être « droit de l'hommiste » consiste à adhérer à de beaux principes purement idéologiques qui font courir au corps social un risque majeur en octroyant des droits à ceux-là mêmes qui les nient ou les menacent. Pour prendre un exemple concret, au dilemme que nous avons posé au cours de l'analyse de l'article 5 sur la torture, le contempteur du droit de l'hommisme répondra qu'elle est justifiable pour des raisons pragmatiques et qu'une morale immaculée n'a pas sa place dans la conduite des affaires de la cité, en particulier lorsque cette dernière est en danger. Pour le dire autrement, faire de la politique implique que l'on choisisse de sauver la cité plutôt que son âme et, dès lors, il faut parfois

---

1. Voir l'ouvrage éponyme de Samuel P. Huntington, Éd. Odile Jacob, 2000.

commettre une injustice afin de préserver la société de la destruction. Ce genre de conception repose sur une vision du politique impliquant des rapports humains constamment traversés par l'antagonisme et la lutte, lesquels seraient absolument inéluctables. Selon la célèbre formule de Plaute reprise par le philosophe Hobbes, « *l'homme est un loup pour l'homme* » et dans une telle optique, les droits fondamentaux que j'accorde aveuglément à l'autre ne peuvent que m'affaiblir et lui laisser le loisir de m'assassiner ou de me spolier. Carl Schmitt, un philosophe et juriste allemand du XXᵉ siècle, développa même l'idée selon laquelle c'est « l'ennemi » qui est au fondement du politique parce que tout regroupement humain se fait dans la perspective d'un rapport de forces. Dans *La notion de politique*, il écrit :

> « *La distinction spécifique du politique, à laquelle peuvent se ramener les actes et les mobiles politiques, c'est la discrimination de l'ami et de l'ennemi.* » Et, dans ces conditions : « *Un monde d'où l'éventualité de cette lutte aurait été particulièrement écartée et bannie, une planète définitivement pacifiée serait un monde sans discrimination de l'ami et de l'ennemi et par conséquent, un monde sans politique* [1]. »

Selon de telles vues, tant qu'il y a des rapports politiques et des nations, les droits de l'homme n'ont guère leur place dans la cité, ni entre les cités et s'il n'est pas impossible de poser certaines valeurs fondamentales, l'autoconservation exige qu'on accepte d'y déroger au gré de notre intérêt. La conséquence est qu'elles perdent toute dimension absolue pour devenir relatives aux circonstances qui prévalent sur leur application. Alors, que faut-il penser des déclarations successives qui se sont efforcées de les formuler ? Ne s'agit-il que de vues de l'esprit ou de désirs vains ? Quelques pistes

---

1. Carl Schmitt, *La notion de politique* (1927), Flammarion, 1999. Schmitt a adhéré au parti nazi avec lequel il s'est largement compromis. Interrogé au procès de Nuremberg, il n'a cependant pas été inculpé. Sa théorisation de la spécificité du politique déterminé par le *jus belli*, c'est-à-dire le droit à déclarer qui est l'ennemi, peut apparaître comme particulièrement violente et réductrice. Il n'empêche qu'elle semble trouver bien des éléments de confirmation dans l'Histoire. Tout le problème est alors de parvenir à sortir de cette conception en lui substituant une vision qui permette d'envisager le champ politique comme un ordre au sein duquel toutes les nations et communautés peuvent coexister pacifiquement en se conformant à des valeurs universelles et non plus comme une préparation à l'affrontement.

permettent de trouver des éléments de réponses en redonnant aux droits de l'homme toute l'importance qui leur est due.

Tout d'abord, en jetant un regard sur l'Histoire, nous constatons que les principes que ces droits y ont affirmés ont bien eu une incidence sur le réel en participant d'un vaste mouvement émancipateur et progressiste. L'abolition de l'esclavage, la conquête des droits civiques, l'égalité entre les hommes et les femmes, la liberté de conscience et toutes les autres avancées révolutionnaires ont modifié durablement nos façons de vivre. Même s'il reste beaucoup à faire, l'état des droits humains a effectivement considérablement évolué au fil des siècles et le simple fait qu'ils soient formulés comme des impératifs fait résonner dans le monde l'écho d'une liberté possible quand bien même il y a encore des lieux où on la nie.

Ensuite, il n'y a pas de fatalité historique, précisément parce que nous avons une Histoire et non un destin. Il est donc toujours possible d'infléchir son cours. Ce sont les hommes qui l'écrivent collectivement et aucune transcendance ne le fait à leur place : notre monde est donc ce que nous décidons qu'il soit. En conséquence, les conceptions hobbiennes de la politique ou celles de Schmitt n'impliquent pas l'impossibilité d'aspirer à un progrès juridique universel, il s'agit juste d'une manière d'interpréter le monde au lieu de le transformer pour qu'il soit meilleur.

Enfin, si nous ne défendons jamais les droits des autres par peur, paresse ou indifférence, nous courons le risque de voir nos propres droits bafoués. Lors de sa déportation à Dachau en 1941, le pasteur protestant Martin Niemöller écrivit ceci :

> « *Quand ils sont venus chercher les communistes, je n'ai rien dit, je n'étais pas communiste. Quand ils sont venus chercher les syndicalistes, je n'ai rien dit, je n'étais pas syndicaliste. Quand ils sont venus chercher les juifs, je n'ai pas protesté, je n'étais pas juif. Quand ils sont venus chercher les catholiques, je n'ai pas protesté, je n'étais pas catholique. Puis ils sont venus me chercher et il ne restait personne pour protester.* »

Nous pouvons donc attendre que le monde soit intégralement pacifié avant de respecter les droits de l'homme, mais il s'agit là d'un avenir qui dure longtemps. Il faut au contraire s'emparer de la Déclaration pour le faire parce qu'elle n'est pas une simple conséquence de la paix et de la justice mondiale mais sa condition de possibilité.

Bibliographie

Charvin, R., Sueur, J.-J., *Droits de l'homme et libertés de la personne*, LITEC, 2002.

De Smet, F., *Les droits de l'homme*, Le Cerf, 2001.

Gandini, J.-J., *Les droits de l'homme*, Librio n° 250, 2002.

Gauchet, M., *La révolution des droits de l'homme*, Gallimard, 1989.

L'état des droits de l'homme en France, La Découverte, 2007.

Lapaeyre, A., *Les dimensions universelles des droits de l'homme*, Bruylant, 1998.

Manent, P., *La cité de l'homme*, Flammarion, 1998.

Morange, J., *Manuel des droits de l'homme et des libertés publiques*, PUF, 2007.

Oberdorff, H., Robert J., *Libertés fondamentales et droits de l'homme*, Montchrestien, 2004.

Petit, H., *Enjeux et perspectives des droits de l'homme*, L'Harmattan, 2004.

—, *Fondation et naissance des droits de l'homme*, L'Harmattan, 2004.

Richard, P., *Droits de l'homme, droits des peuples*, Chroniques sociales 1995.

Rousseau, *Du contrat social*, Flammarion, 2001.

Villey, M., *Le droit et les droits de l'homme*, PUF, 1998.

Vincensini, J.-J., *Le livre des droits de l'homme*, Robert Laffont, 1985.

855

Composition PCA – 44400 Rezé
Achevé d'imprimer en France par Aubin
en décembre 2007 pour le compte de E.J.L.
87, quai Panhard-et-Levassor, 75013 Paris
Dépôt légal décembre 2007
EAN 9782290006825

Diffusion France et étranger : Flammarion